NA CEILTIGH

HAZEL MARY MARTELL

Seán Ó Cadhain
a d'aistrigh

AN GÚM
Baile Átha Cliath

Buíochas agus Admhálacha

Gabhann na foilsitheoirí buíochas le Mrs M. Fry de chuid Albain na Staire agus le Nick Brannon agus Anne Hamlin i Roinn na Timpeallachta i dTuaisceart Éireann as ucht a gcabhrach in ullmhú an leabhair seo. Gabhann siad buíochas freisin le Bill Le Fever a mhaisigh na leathanaigh trédhearcacha agus leis na heagraíochtaí éagsúla a thug cead dúinn na pictiúir seo a leanas a fhoilsiú:

Archiv für Kunst und Geschichte/Eric Lessing: 4-5, 5, 9, 12-13
An Bailiúchán Sean-Ealaíne agus Sean-Ailtireachta: 24, 27, 34, 45
Ronald Sheridan: 10, 11, 13, Brian Wilson: 9
Bibliothèque Nationale: 34, 38. Leabharlann Ealaíne Bridgeman/Músaem na Breataine: 20
Músaem na Breataine: 15, 18. C.M. Dixon/Photo Resources: 23
Explorer/A. Le Toquin: 27. Historisches Museum Basel/M. Babey: 29
Albain na Staire: 32. Simon James: 23. Life File/Tony Abbott: 14
Bailiúchán Menil/Hickey-Robertson: 27
Moravske Zemske Museum: 27. Musée d'art et d'histoire, An Ghinéiv: 31
Museum Carolino Augusteum, Salzburg: 12. Ard-Mhúsaem na hÉireann: 21, 31
Músaeim Náisiúnta na hAlban: 45. Músaem Náisiúnta na Breataine Bige: 27, 28,
Photographie Giraudon/Chatiloon-sur-Seine, Mus. Archeologique: 21
Musée des Antiquites Nationales, Saint Germain en Laye: 9
Rueil-Malmaison, Mus. Nat. de Château de Malmaison: 43
RCS Libri & Grandi Opere Spa/Muzeul National de Istorie a Romaneiei: 37
Réunion des Musées Nationaux/Musée des Antiquites Nationales: 19, 27
Scala/Rheinisches Landesmuseum, Bonn: 7, Museo del Terme, Roma: 39
Cumann Seandachtaí Londan/Geremy Butler: 5
Ville de Beaune, Conservation des Musées/Musée du Vin de Bourgogne/M. Couval: 23
Werner Forman Archive/Músaem na Breataine: 8, 9, 13, 35, 37, Württembergisches Landesmuseum: 25

Maisitheoirí:

Richard Berridge: 28, 29, 30-31, 36, 37.
Peter Bull: 7, 29, 38.
James Field: an clúdach, 42, 44, 45, 46-47.
Ray Grinaway: 8, 9, 10, 11, 20, 21, 43.
Bill Le Fever: na híola tosaigh, 16-17, 24-25, 32-33, 40-41.
Tony Randall: 12, 13, 14, 15.
Mark Stacey: 4, 6, 18, 19, 34, 35.
Simon Williams: 22, 23, 26, 38-39.

Eagarthóirí: Andrew Farrow agus Sue Reid
Dearthóir: Mark Summersby
Stiúrthóir Táirgíochta: Linda Spillane
Taighdeoir Pictiúr: Liz Fowler

Hamlyn Children's Books, Michelin House, 81 Fulham Road, Londain SW3 6RB, a chéadfhoilsigh i
1994 faoin teideal SEE THROUGH HISTORY: CELTS
© 1994 Reed International Books Ltd
© Rialtas na hÉireann 1995, an leagan Gaeilge

ISBN 1-85791-128-8

Computertype Tta a rinne an scannánchló in Éirinn
Arna chlóbhualadh sa Bheilg ag Proost Tta

Le ceannach díreach ón Oifig Dhíolta Foilseachán Rialtais, Sráid Theach Laighean, Baile Átha Cliath 2
nó ó dhíoltóirí leabhar.
Nó tríd an bpost ó Rannóg na bhFoilseachán, Oifig an tSoláthair,
4-5 Bóthar Fhearchair, Baile Átha Cliath 2.

An Gúm, 44 Sráid Uí Chonaill Uachtarach, Baile Átha Cliath 1

AN CLÁR

Ré na gCeilteach 4
Na Ceiltigh ag Leathadh 6
Éadach agus Dealramh 8
An Pobal agus Lucht Ceannais 10
Mianadóireacht agus Miotalóireacht 12
An Saol Laethúil 14
Tithe Cónaithe na gCeilteach 16
Bia agus Cúrsaí Feirmeoireachta 18
Féilte agus Ceiliúradh 20
Reiligiún agus Cúrsaí Creidimh 22
Tuamaí na nUasal 24
Cúrsaí Ceardaíochta 26
Cúrsaí Trádála 28
Cúrsaí Iompair 30
Brugh 32
Marcaigh agus Carbadóirí 34
Na Laochra agus an Chogaíocht 36
Concas na Rómhánach 38
Teacht na Críostaíochta 40
Seanchas na gCeilteach 42
Maireann na Ceiltigh 44
Gluais agus Dátaí Tábhachtacha 46
Innéacs/Foclóirín 48

RÉ NA gCEILTEACH

Trádálaithe de chuid na gCeilteach ag fágáil cheantar Hallstatt chun dul chun na Gréige. Chomh maith lena gcuid earraí thugaidís pluideanna agus fearas fiaigh leo mar go gcaithfidís codladh amuigh faoin aer agus fiach a dhéanamh chun greim a chur ina mbéal.

Fadó, fadó sular tháinig an Róimh chun cinn ba iad na Ceiltigh a bhí i gceannas ar chuid mhór den Eoraip – ó Éirinn agus ón mBreatain sa tuaisceart, ó dheas go dtí an Fhrainc agus an Spáinn agus chomh fada soir leis na Balcáin agus leis an Tuirc. Ní raibh siad aontaithe faoi rí amháin. Ba iad a dteanga agus a gcultúr a thug le fios gur aon dream amháin iad. Cé gur fada an lá ó tháinig meath ar a gcumhacht tá tionchar theanga agus chultúr na gCeilteach le brath i gcónaí.

'Tá na Gallaigh go léir, beagnach, ard. Tá gruaig fhionn orthu agus iad dearg san aghaidh. Bíonn súile fíochmhara iontu, dúil acu sa troid agus iad an-sotalach.'
— *Ammianus Marcellinus* —

TRÁDÁIL
San 8ú céad R.Ch. i lár na hEorpa a tugadh na Ceiltigh faoi deara ar dtús. Thrasnaigh cuid acu na hAlpa as Hallstatt na hOstaire, mar atá inniu, chun dul ag trádáil leis na sean-Ghréagaigh a thug *Keltoi* orthu. Is cosúil gur ainm mar é a thugadh na Ceiltigh orthu féin mar *Celtae* nó Gallaigh a thugadh na Rómhánaigh orthu freisin. Ach ar ndóigh níor fhág Ceiltigh na haimsire sin aon fhianaise scríofa ina ndiaidh.

FIANAISE SCRÍOFA
Ach tá fianaise scríofa againn ó scoláirí na Gréige agus ina dhiaidh sin arís ó scoláirí na Róimhe faoi na Ceiltigh agus faoin gcaoi ar mhair siad. Dar leis na Gréagaigh agus na Rómhánaigh cine barbartha a bhí iontu. Shíl siad é sin toisc nárbh ionann modh maireachtála na gCeilteach agus an modh a bhí acu féin. Chreid na Rómhánaigh gur chine cogúil iad agus go ndéanaidís daoine a íobairt chun na ndéithe. Chuir na Rómhánaigh rompu iad a chur faoina smacht féin agus a gcuid tailte a ghabháil.

FIANAISE NA SEANDÁLAÍOCHTA

Ó fhianaise na seandálaíochta tá a fhios againn anois nach é amháin gur laochra fíochmhara na Ceiltigh ach go raibh rath orthu mar fheirmeoirí agus mar thrádálaithe. Feicfimid níos faide ar aghaidh go raibh siad oilte ar éadach a shníomh, ar mhianadóireacht, agus ar oibriú miotal, rud a léirigh siad trí uirlisí, airm, ornáidí agus seodra a dhéanamh. Dhéanaidís cúram de na heasláin agus de na bochtáin ina measc, rud a bhí neamhchoitianta san am sin. Ba scéalaithe móra iad. Chuiridís a gcuid seanscéalta de ghlanmheabhair agus chuiridís ó ghlúin go glúin iad ó bhéal.

Thángthas ar an gcoimeádán cré-umha seo ón 7ú céad R.Ch. – feithicil rothaí agus dhá éan air – in aice Sarajevo san Iúgslaiv mar a bhí. Tá sé tuairim is 18 cm ar fad. Is é is dóichí gur bia agus deoch a bhíodh ann. Tá sé léirithe ag scoláirí Éireannacha gur dócha gurbh iad na Ceiltigh a chéadchum an roth.

STAIR AGUS RÉAMHSTAIR

An tréimhse réamhstairiúil a thugtar ar an tréimhse nár scríobhadh aon tuairisc ar imeachtaí an tsaoil. Roinn seandálaithe an 19ú haois an réamhstair ina trí cuid de réir an ábhair a bhíodh in uirlisí na ndaoine – an Chlochaois, an Chré-Umhaois agus an Iarnaois. Mar gurbh uirlisí agus airm iarainn a bhíodh ag na Ceiltigh baineann siad leis an Iarnaois. Sa lá atá inniu ann roinntear an Iarnaois ina dhá tréimhse agus tá siad ainmnithe as dhá láthair de chuid na gCeilteach – Hallstatt na hOstaire agus La Tène na hEilvéise – inar thángthas ar dhá bhailiúchán mhóra de dhéantáin Cheilteacha.

HALLSTATT AGUS LA TÈNE

Ba é Hallstatt an láthair ba shine den dá cheann agus baineann formhór na ndéantán a fuarthas ann leis an tréimhse idir an 7ú agus an 5ú haois R.Ch. Tochlaíodh iad as míle uaigh ina raibh daoine curtha, daoine a rinne a gcuid saibhris as mianadóireacht agus as salann a dhíol. I gcás láthair La Tène ar bhruach Loch Neuchâtel is cosúil go raibh sí in úsáid idir lár an 5ú haois R.Ch. agus an uair a chlóígh na Rómhánaigh na Ceiltigh a bhí ann. B'in é an tréimhse a raibh cultúr na gCeilteach i mbarr a réime agus is é is mó a bheidh faoi chaibidil sa leabhar seo.

Is láidre i bhfad an t-iarann ná an cré-umha ach níl sé chomh héasca céanna é a oibriú. Mar sin, is cré-umha a d'úsáideadh na Ceiltigh go minic le hearraí ealaíonta a dhéanamh. Fuarthas an seastán álainn thuas in uaigh in Hallstatt.

Idir 1846 agus 1863 rinneadh reilig in Hallstatt, a raibh breis agus 1,000 uaigh inti, a thochailt. Péinteáladh pictiúir cruinne in uiscedhathanna dá bhfuarthas.

NA CEILTIGH AG LEATHADH

B'fhearr na huirlisí iarainn a bhí ag na Ceiltigh ná na cinn chloiche nó adhmaid a bhíodh ann roimhe sin. D'fhág sin go raibh na Ceiltigh in ann níos mó talún a réiteach ná an dream a bhí rompu i lár na hEorpa. Toisc breis curadóireachta bhí tuilleadh bia ag na daoine agus tháinig méadú ar an daonra. Lean an daonra ag méadú go dtí gurbh éigean do chuid díobh imeacht go háit éigin eile.

Caithfidh sé go mbíodh an-réiteach le déanamh ag na Ceiltigh faoi chomhair na himirce. Chaithidís an-chuid a thabhairt leo – giuirléidí tí, bia, uirlisí tógála, uirlisí feirme agus síolta ar ndóigh.

IMIRCE

Thosaigh na Luath-Cheiltigh ag tóraíocht talún feadh ghleannta torthúla na Danóibe agus na Réine. Leath siad amach as sin ó thuaidh, soir agus siar agus faoin 6ú céad R.Ch. bhí siad tosaithe ar na tíortha a dtugtar an Fhrainc, an Bheilg agus an Spáinn orthu sa lá atá inniu ann a choilíniú. Thrasnaigh cuid acu Muir nIocht agus lonnaigh siad sa Bhreatain agus in Éirinn. Chuaigh treibheanna eile acu anonn thar na hAlpa agus chuir siad fúthu i ngleann na Pó i dtuaisceart na hIodáile.

Bhíodh an-chuid deacrachtaí le sárú ag na himircigh seo. Bhíodh ualach mór uirlisí agus giuirléidí acu chomh maith le heallach. Ní bhíodh aon eolas acu ar na dúichí trína mbídís ag taisteal ná mapaí acu lena dtreorú agus ar ndóigh ní bhíodh aon fháilte ag a gcomharsana nua rompu.

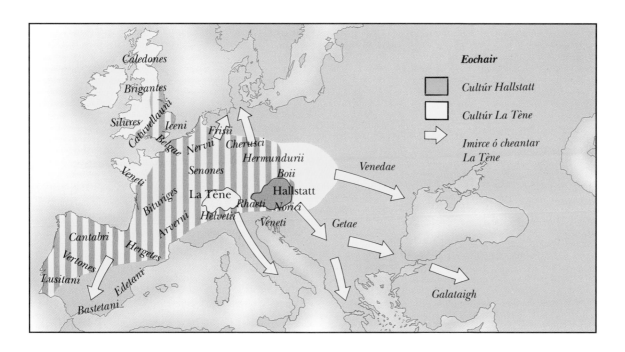

Is éard a léirítear ar an mapa seo ná láithreacha lonnaíochta Ceilteacha Hallstatt agus La Tène, ainmneacha roinnt bheag de na treibheanna Ceilteacha agus na ceantair a ndeachaigh siad chucu de réir mar a leath siad amach. Ní raibh ach an t-aon rud a chuir stop le leathadh na gCeilteach agus b'in dream níos láidre ná iad féin a chasadh leo.

I dTREO AN OIRTHIR

Mar is léir ón mapa, lean na Ceiltigh orthu ag leathadh. Faoin mbliain 358 R.Ch. bhí cuid de na Ceiltigh tar éis cur fúthu chomh fada soir le sléibhte Cairp. 50 bliain ina dhiaidh sin bhí siad tar éis lonnú sa Mhoráiv. Sa bhliain 278 R.Ch. chuaigh 20,000 teaghlach de chuid na gCeilteach go dtí an Áise Bheag le cuidiú le Nicomedes, rí na Bitíne, troid in aghaidh na Siriach. Galataigh a tugadh orthusan. Nuair a bhí an cogadh thart chuir siad fúthu sa Ghaláit, áit atá sa Tuirc anois. Agus sa bhliain 277 R.Ch. chuaigh tuairim is 4,000 amhas de chuid na gCeilteach go dtí an Éigipt le troid ar son an Fháró, Tolamaes II. Is cosúil gur lonnaigh cuid acu san Éigipt ina dhiaidh sin.

COIMHLINT

An t-am céanna a raibh na Ceiltigh ag leathadh taobh ó dheas de na hAlpa bhí Poblacht na Róimhe ag dul i dtreise. Níor mhair an tsíocháin i bhfad. Tharla cath eatarthu in Allia tuairim na bliana 390 R.Ch. agus buaileadh na Rómhánaigh go dona. Ar aghaidh leis na Ceiltigh ansin go dtí an Róimh agus chreach siad an chathair.

CUR INA gCOINNE

Faoin mbliain 300 R.Ch. bhí na Rómhánaigh láidir go leor le leathadh na gCeilteach ó dheas san Iodáil a chosc. Cuireadh in aghaidh na gCeilteach in áiteanna eile freisin, e.g. troideadh cath idir iad féin agus na Gréagaigh ag Aitheascal Dheilfe. Le cuidiú drochaimsire agus creathanna talún chloígh na Gréagaigh iad agus b'éigean dóibh cúlú as an nGréig ar fad.

MEATH NA gCEILTEACH

Is é is dóichí gur i gcaitheamh an 2ú céad R.Ch. a bhí na Ceiltigh i mbarr a réime. Faoin am sin bhí ciníocha eile níos láidre ná iad agus na Ceiltigh faoi ionsaí acu ó thrí thaobh. Ón taobh ó thuaidh bhí treibheanna na Gearmáine á n-ionsaí; ón taobh thoir na Dáiciaigh agus ón taobh theas na Rómhánaigh. Faoin 1ú céad A.D. ní raibh ach an Bhreatain agus Éire ina dtíortha fíor-Cheilteacha.

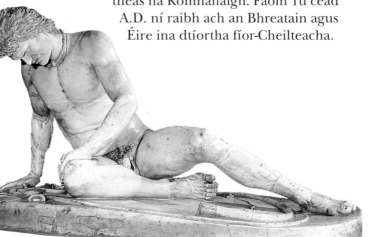

Mar go bhfuil dealbha mar seo de chuid na Róimhe againn tá a fhios againn cén chosúlacht a bhíodh ar na Ceiltigh. Gallach ag Éag a thugtar ar an dealbh áirithe seo ach dáiríre is duine de Cheiltigh na Galáite (Galatia) atá ann.

Lánúin shaibhir de chuid na gCeilteach agus iad gléasta le haghaidh féasta. Ag dúnadh bhrat an fhir le dealg neasfháinneach atá an bhean. Chuirtí an biorán tríd an éadach agus ansin chastaí a bharr thart chun é a dhaingniú.

Ní ar mhaithe le galántacht a chaitheadh na Ceiltigh éadaí ach chun iad féin a choinneáil te. Dá bharr sin níor athraigh stíl a gcuid éadaigh ón sean-am go dtí gur chloígh na Rómhánaigh iad. Ina ainneoin sin tá a fhios againn go mbídís bródúil as a ndealramh féin. De réir Strabo, tíreolaí Gréagach, níor mhaith leo a bheith ina mbolgadáin mar go ngearrtaí fíneáil orthu siúd a bhíodh ró-ramhar chun a gcrios a cheangal!

A gCUID ÉADAIGH

Treabhsair fhada olla ar a dtugtaí *bracae* a chaitheadh na fir agus bróga nó buataisí rúitín déanta as leathar bog. Nuair a bhíodh an aimsir meirbh chaithidís léine fháiscthe gan mhuinchillí agus í dúnta chun tosaigh le dealga nó le claspaí. San aimsir fhuar chaithidís tuineach olla agus muinchillí fada uirthi a bhíodh ceangailte ag an mbásta le crios. Nuair a bhíodh an aimsir fíorfhuar chaithidís brat trom olla.

Bhíodh na mná gléasta i ngúnaí fada scaoilte olla agus iad fáiscthe thart ar an mbásta le crios leathair nó éadaigh agus búcla air. Seál a bhíodh thart ar a nguaillí agus an aimsir fionnuar ach brat agus é fuar. Ar nós na bhfear bróga leathair a bhíodh orthu. Is cosúil go gcaitheadh mná áirithe cuaráin nó go mbídís cosnochta mar go bhfuarthas fáinní ar ladhracha na gcos ar roinnt cnámharlach.

Bhreathnaíodh na Ceiltigh orthu féin i scátháin chré-umha ar nós an scátháin seo a fuarthas i Sasana. Tá gréas álainn ar a chúl a greanadh le compás, is dócha. Tá an taobh eile réidh agus loinnir ann chun go bhfeicfeadh an duine a scáil féin go soiléir ann.

SEODRA

Ní raibh cnaipí ná sipeanna ag na Ceiltigh. Le bioráin nó le dealga a dhúnaidís a gcuid éadaigh. Fiobúil (*Fibulae*) a thugtaí ar na dealga ba choitianta agus cuma bioráin dhúnta a bhíodh orthu. Bhíodh go leor acu gan mhaisiú ach bhíodh cinn óir nó airgid ann freisin agus iad maisithe le coiréal nó le cruan. Ba bhreá leis na Ceiltigh seodra agus bhíodh bráisléid is fáinní ar fhir is ar mhná. Bhíodh coirníní gloine nó miotail thart ar a muineál ag na mná.

CÓIRIÚ GRUAIGE NA bhFEAR

De réir Diodorus Siculus, scríbhneoir Gréagach, bhíodh na fir bródúil as a gcuid gruaige. Rásúir a bhíodh acu chun iad féin a bhearradh. Bhídís mórálach as a gcroiméal freisin agus ghearraidís é le siosúr cosúil le deimheas.

'Bearrann cuid acu an fhéasóg ach is amhlaidh a ligeann cuid eile acu di fás beagán; bearrann na huaisle a leicne ach ligeann siad don chroiméal fás anuas go gclúdaíonn sé an béal.'
— Diodorus Siculus —

B'fhearr leis na fir go mbeadh a gcuid gruaige fionn. Níodh lucht na gruaige duibhe a gcuid gruaige in aoluisce chun lagú ar an dath nó chun go seasfadh sí ina stothanna. Ar ndóigh chuireadh sé sin leis an gcuma fhíochmhar a bhíodh orthu agus iad ag troid.

DÉANAMH ÉADAIGH

Mar nach raibh aon siopaí ann an uair úd b'éigean do na Ceiltigh a gcuid éadaigh féin a dhéanamh. Chuige sin bhearraidís na caoirigh agus shníomhaidís an olann ina snáth le próiste agus tromán. Chun go mbeadh an t-éadach glédhathach nó stríocach nó páircíneach de réir mar a theastódh dhéanaidís an snáth a dhathú le ruaimeanna as plandaí, goirmín, madar agus buí mór, mar shampla.

AN SEOL

D'fhíodh na mná an snáth ina éadach ansin ar sheol ingearach a mbíodh fráma adhmaid air. Mar go mb'éigean dóibh an spól a chaitheamh ó thaobh go taobh ar an seol ní bhíodh an t-éadach ach ar comhleithead le leithead an dá sciathán acu. D'fhéadfadh fad ar bith, áfach, a bheith san éadach sula mbainidís den seol é. Ghearraidís ina phíosaí é agus d'fhuaidís le snáthaid chnáimhe é.

Fiobúil chré-umha (thuas) a bhíodh ag na Ceiltigh lena gcuid léinte agus ionar a dhúnadh, agus dealg neasfháinneach (thuas ar deis) lena gcuid brat a dhúnadh. Bhíodh muincí troma dóide de chré-umha ar a ngéaga ag na taoisigh. Ceann as Albain é seo (thuas ar clé) agus é maisithe le cruan is gloine dhaite.

Tá croiméal agus torc ar an nós Ceilteach le feiceáil ar an bpíosa snoíodóireachta seo a fuarthas i bPoblacht na Seiceach. Is é is dóichí gur dhuine de na huaisle an fear thuas.

Chaitheadh na mná cuid mhór dá saol ag sníomh agus ag fí. Dá mbeadh an aimsir go breá is amuigh faoin aer a dhéanaidís an gnó mar gurbh fhusa an obair a fheiceáil.

9

Ní chaithfeadh ach duine uasal nó laoch torc óir thart faoina mhuineál.

D'iarrtaí ar na fir léinn (na saoithe) go minic aighnis a réiteach. Ina ainneoin sin ó tharla go raibh meon na cogaíochta ag na Ceiltigh troid go bás a bhíodh ann chomh minic céanna.

Cé go raibh smacht ag na Ceiltigh ar chuid mhór den Eoraip ní raibh impireacht acu riamh ná ní raibh ceannaire amháin á rialú riamh. Bhíodh a gceantar féin ag gach treibh ar leith agus ceannaire dá gcuid féin ag gach treibh. Ba mhinic a thagadh roinnt treibheanna le chéile chun troid in aghaidh a gcomhnamhad ach chomh minic céanna bhídís ag troid eatarthu féin.

AICMÍ SÓISIALTA

Ba chuma cén áit a mbíodh na Ceiltigh bhíodh gach treibh díobh roinnte ina ceithre phríomhaicme: uaisle, laochra, feirmeoirí agus saoithe (fir léinn).

LUCHT CEANNAIS

Ba as measc na n-uaisle nó na laochra a thagadh lucht ceannais na treibhe.

Tharlódh gur óna n-aithreacha a gheobhaidís a ngradam ach i gcás treibheanna áirithe ba é comhthionól na n-uaisle a thoghadh iad. Is cosúil go mbíodh cumhacht an cheannaire i gcontúirt i gcónaí mar go mbíodh uaisle eile ag iarraidh a bheith ina gceannaire.

Fir a bhíodh ina gceannairí go hiondúil ach d'éirigh le roinnt de na mná uaisle a bheith ina gceannairí ar a dtreibheanna féin agus a bheith i gceannas ar a n-airm agus iad ag dul chun cogaidh. Cuir i gcás nuair a ghabh na Rómhánaigh an Bhreatain ba bhanríon darbh ainm Cartimandua a bhí i gceannas ar threibh i dtuaisceart Shasana, na Brigantes. Sa bhliain 60 A.D. rinneadh banríon ar threibh na nIceni in oirthear Shasana de Boadicea tar éis bháis dá fear céile.

NA hEASLÁIN

Chreid na Ceiltigh i bpiseoga agus shíl siad, is dócha, gur phionós ó na déithe tinneas a bheith ar dhuine. Uaireanta dhéanaidís íobairt chun na ndéithe chun iad a shásamh mar chuidiú don othar. In ainneoin ar chreid siad rinne na Ceiltigh a ndícheall na hothair a leigheas. Dhéanadh a gcuid dochtúirí cógais agus ungthaí as luibheanna. Dhéanadh cuid acu obráidí go fiú, e.g. cnámha briste a dheisiú nó cloigeann duine a tholladh le maolú ar an mbrú ar an inchinn tar éis gortú. Mar nach raibh pianmhúcháin ná antaiseipteáin ann seachas an t-alcól an uair úd ba bheag duine, is cosúil, a thagadh as a leithéid d'obráid.

Dealbh í seo a rinneadh sa 19ú haois, den bhanríon Boadicea ina carbad cogaidh. Tá sí suite ar bhruach na Tamaise i Londain.

FEIRMEOIRÍ AGUS SAOITHE

Ba iad na feirmeoirí an dream ba mhó i measc an phobail mar go mbíodh roinnt éigin talún ag teastáil ó gach aon duine chun go mbeadh greim le hithe aige. Ba laochra páirtaimseartha cuid de na feirmeoirí agus bheadh na daoine ba shaibhre ina n-uaisle. Is é is dóichí go ndéanadh na saoithe roinnt feirmeoireachta ach ba le hobair eile a chaithidís an chuid ba mhó dá gcuid ama. Bhídís ina ndochtúirí, ina ndraoithe, ina n-oibrithe miotail nó ina bhfilí. Ba iad na baird na na filí a mbíodh an cúram orthu stair is seanchas na treibhe a chur ar aghaidh go dtí an chéad ghlúin eile. Bhíodh baint acu freisin le riar na treibhe.

AIRE DO NA hEASLÁIN

Ainneoin go mbíodh tóir ag na Ceiltigh ar an gcogaíocht thugaidís aire do na seandaoine agus do na heasláin ina measc féin. Ba iad an dream óg sa teaghlach a bhreathnaíodh ina ndiaidh. Sa chás nach mbíodh teaghlach dá gcuid féin acu ba iad an pobal áitiúil a dhéanadh cúram díobh. Chinntíodh a gcairde agus a gcomharsana go mbíodh bia, teas, éadaí agus dídean acu chun go mbeidís chomh compordach is ab fhéidir.

Tá an fear thíos faoi chúram saoi atá oilte ar chúrsaí leighis. Is dócha gurb amhlaidh a gortaíodh a chloigeann le linn titim dó. Seans go mbíodh lucht leighis gnóthach an uair úd.

11

MIANADÓIREACHT & MIOTALÓIREACHT

Bhí saibhreas na gCeilteach bunaithe, cuid mhaith, ar dhá scil a bhí ar fheabhas acu – mianadóireacht agus miotalóireacht. Chomh maith le mianadóireacht miotal bhíodh mianadóireacht salainn ar bun acu.

MIANADÓIREACHT SALAINN
Ní bhíodh a ndóthain farae ag na feirmeoirí Ceilteacha lena gcuid ainmhithe ar fad a bheathú i gcaitheamh an gheimhridh. Mar sin mharaídís san fhómhar na hainmhithe nach mbeadh ag teastáil an bhliain dár gcionn le haghaidh pórú. Chothaíodh an feirmeoir é féin agus a theaghlach leis an bhfeoil sin i gcaitheamh an gheimhridh.

Ó tharla nach mbíodh cuisneoir ná reoiteoir acu an uair úd ba é an t-aon chaoi a bhí ann chun an fheoil a chaomhnú ná í a shailleadh. D'fhéadfadh daoine cois cósta teacht ar shalann go réidh trí sháile a cheapadh agus ligean dó galú ina chriostail.

I gcás daoine a bhíodh ina gcónaí isteach faoin tír bhíodh sé i bhfad níos deacra. Bhí salann den scoth faoin talamh sna sléibhte thart ar Hallstatt, áfach. Bhíodh ar na mianadóirí sloic a dhéanamh ar claon isteach i leiceann an tsléibhe. Ansin dhéanaidís toiláin sa salann le piocóidí. Ba chontúirteach an obair í ach bhíodh a ndóthain féin salainn ag Ceiltigh Hallstatt agus tuilleadh lena chois lena dhíol lena gcomharsana.

MIANADÓIREACHT COPAIR
Bhíodh mianadóireacht copair ar bun ag Ceiltigh lár na hEorpa freisin. Dhéantaí an mhian a bhruithniú agus dhéantaí miotal di go héasca. Ach miotal bog is ea copar agus dá bhrí sin mheasctaí le stán é chun cré-umha a dhéanamh. Tá an t-iarann níos láidre fós agus faoi Luath-Ré na gCeilteach airm agus uirlisí iarainn a bhí acu. D'úsáidtí an cré-umha ansin chun airm a mhaisiú agus chun seodra agus gréithe tí a dhéanamh.

Is sampla breá de mhiotalóireacht na gCeilteach é coire Gundestrup a fuarthas sa Danmhairg. As airgead agus ór atá sé déanta agus ornáideachas ardaithe air istigh agus amuigh.

D'úsáideadh na Ceiltigh uirlisí cloiche, adhmaid nó cré-umha (thuas) agus iad ag mianadóireacht salainn mar go gcuirfeadh an salann meirg ar uirlisí iarainn. De bhrí nach mbíodh aon ghás pléascach sna mianaigh shalainn d'fhéadfaidís lasair gan chosaint a bheith acu mar sholas. Mar sin féin caithfidh sé go mbíodh cúrsaí go hainnis acu.

AN CRÉ-UMHA

Go fiú roimh aimsir na gCeilteach bhí na saoir chré-umha in ann barraí a dhéanamh den chré-umha leáite agus ansin na barraí sin a thuargaint ina leatháin. Bhí siad in ann freisin cré-umha a theilgean i múnlaí cloiche, cré nó cnáimhe le gach cineál earraí beaga a dhéanamh.

IARANN A AIMSIÚ

As amhiarann a dhéantar iarann. Bhí sé níos éasca do na Ceiltigh teacht ar an amhiarann agus bhí sé i bhfad níos flúirsí freisin ná an mhian chopair. D'fhaightí i riasca agus i gcoillte go minic é ina chnapanna agus ní bhíodh le déanamh ach é a thochailt as an talamh. Chuirtí an t-amhiarann i bhfoirnéis bheag ar dhéanamh babhla ansin. Bhídís ag brath ar an siorradh gaoithe le go mbeadh an tine ghualaigh te a dóthain leis an amhiarann a bhruithniú. Nuair a bhíodh an tine te go leor bhailíodh cnap íon iarainn ar thóin na foirnéise.

Ní hé amháin go ndéanadh na gaibhne Ceilteacha uirlisí agus airm, ach dhéanaidís ornáidí le haghaidh thithe na ndaoine saibhre freisin. Tá an gabha thuas ag déanamh crainn teallaigh (i.e. fráma ina gcuirfí tine). Fíor de chloigeann ainmhí a chuirfear air mar ornáid.

CEÁRTA AN GHABHA

Ba dheacra do na Ceiltigh iarann a oibriú ná cré-umha mar nach leáfadh an t-iarann i gceart i dteas na bhfoirnéisí acu. Bhíodh an cnap bruithnithe ró-righin lena chur i múnlaí. Chun go ndéanfaí earraí as chaithfí é a ghaibhniú. Chuige sin bheireadh an gabha greim ar an gcnap iarainn le tlú cosfhada agus d'fhágadh sé an cnap sa tine go mbeadh sé deargthe. Ansin mhúnlaíodh sé le hord ar an inneoin é. Dá n-éiríodh an cnap fuar chuireadh sé ar ais sa tine é go mbeadh sé deargthe in athuair. Bhuaileadh sé le hord arís agus arís eile é agus leanadh sé air á mhúnlú go dtí go mbeadh an cruth air a theastódh uaidh.

Bhí obair na gCeilteach ealaíonta agus praiticiúil. Is mar mhaisiúchán atá an gréas cré-umha ar an rinn sleá iarainn (thuas). Cúis phraiticiúil atá leis na fonsaí cré-umha ar an mbuicéad adhmaid thíos. Coinníonn siad na cláir adhmaid le chéile agus ní sceitheann an buicéad.

Ballaí cloiche a bhíodh i dtithe Cheiltigh na Spáinne agus mar sin tá siad fós ann le feiceáil. In Asturias, in Castro de Coaña, atá na cinn thuas. Tá siad cruinn agus in aice le barr cnoic.

Thart faoin teach cónaithe a chaitheadh formhór na gCeilteach a saol ar dtús. Bhíodh gach teaghlach ina gcónaí i dteach feirme agus na tithe achar fada óna chéile. Ach thóg na daoine a raibh saibhreas déanta acu as salann agus as iarann, dúnta chun iad féin agus a gcuid a chosaint. Le himeacht aimsire tógadh bailte agus sráidbhailte daingnithe.

DÚNTA CNOIC
Ar bharr na gcnoc a thógadh na Luath-Cheiltigh a gcuid dúnta mar gurbh fhusa iad a chosaint agus go mbíodh radharc acu ar an tír mórthimpeall. Sa tréimhse 800 – 600 R.Ch. a thosaigh siad ar na dúnta sin a thógáil ar dtús sa cheantar díreach taobh ó thuaidh de na hAlpa. Faoin mbliain 600 R.Ch. bhí dúnta cnoic á dtógáil in oirthear na Fraince agus in iardheisceart na Gearmáine mar atá inniu.

Bhí dúnta cnoic sa Bhreatain chomh luath le 1000 R.Ch. sular shroich na Ceiltigh an tír sin. Is cosúil go raibh feidhm eile leo an t-am sin agus i gcaitheamh Luath-Ré na gCeilteach seachas mar a bhí leo siúd ar Mhór-Roinn na hEorpa. B'ionaid iad ina dtagadh an treibh le chéile in am an ghábha seachas tithe galánta prionsaí nó lucht saibhris. Ina dhiaidh sin b'fhéidir go dtagadh an treibh le chéile i gcuid acu chun searmanais chreidimh a cheiliúradh. Ina dhiaidh sin arís ba bhailte beaga daingnithe iad. Caithfidh sé go dtógadh sé tamall fada orthu na créfoirt mhóra a bhíodh thart orthu a thógáil. Tá roinnt bheag dúnta cnoic in Éirinn.

OPPIDA
Na ráthanna móra a bhí ag na Ceiltigh ar an Mór-Roinn agus sa Bhreatain agus ar thug na Rómhánaigh 'oppida' orthu, bhí siad cosúil, ar shlí, le bailte agus le sráidbhailte an lae inniu. B'ionaid mhargaidh iad agus tháinig forbairt ar chuid acu agus rinneadh bailte móra trádála díobh. Leagadh síos bóithre leacacha agus córais draenála iontu, mar aithris ar na Rómhánaigh, is dócha. Anseo in Éirinn bhíodh na ráthanna cruinne cré níos lú agus ba é an lios an spás taobh istigh den ráth. Bhíodh teach feirme nó dhó istigh iontu. Bhíodh cuid acu déanta de chlocha – cathracha nó caisil a thugtaí orthu sin.

In ainneoin nach bhfuil anseo ach láthair lonnaíochta bheag tá díoga agus ráthanna thart uirthi agus sconsa láidir ar bharr rátha díobh. Tríd an ngeata an t-aon bhealach isteach ann agus bhíodh sé furasta go leor é sin a chosaint. Aimsir shíochána choinníodh an sconsa ainmhithe na feirme istigh nó amuigh de réir mar a theastaíodh.

AN TEAGHLACH

D'fhéadfadh líon mór nó líon beag tithe a bheith in *oppidum*. Ní hé amháin go mbíodh fear, bean agus a gclann i ngach aon teach acu ach d'fhéadfadh daoine muinteartha a bheith iontu freisin, e.g. an tseanmhuintir, deartháireacha agus deirfiúracha neamhphósta, uncailí agus aintíní neamhphósta. Thacaíodh muintir an teaghlaigh lena chéile agus bhídís níos dílse dá chéile ná don treibh.

OBAIR AN TÍ

Ní bhíodh aon cheann de na gairis nua-aimseartha ag na Ceiltigh agus mar sin chaithidís cuid mhaith dá saol le hobair an tí. Mná a dhéanadh cuid mhaith den obair sin ach is dócha go gcuidíodh na fir leo nuair nach mbídís gnóthach le hobair fheirme. Chaití, mar shampla, grán a mheilt ina phlúr le harán a dhéanamh as. Dhéantaí é sin de láimh ar chloch bhró. I dtús ama chuirtí an grán ar leac agus mheiltí ina phlúr é trí chloch níos lú a bhrú siar is aniar anuas air. Thógadh sé uair go leith cileagram plúir a mheilt leis an modh sin. Ón 2ú céad R.Ch. amach, áfach, ón uair a fionnadh an bhró rothlach, ní thógadh sé ach 10 nóiméad cileagram plúir a chur ar fáil.

LEANAÍ

Ní raibh scoileanna ar bith ann i gcaitheamh Ré na gCeilteach. D'fhoghlaimídís le rudaí a dhéanamh trí aithris ar a gcuid tuismitheoirí nó go mbídís sean go leor le hobair an tí nó na feirme a dhéanamh. Dhéanaidís gortghlanadh ansin nó chuiridís an ruaig ar na héin nó chabhraídís leis an olann a bhaint as aimhréidhe. Anseo in Éirinn, freisin, chuirtí leanaí amach ar altramas chuig teaghlaigh eile nuair a bhídís mór go leor chuige.

Is cosúil go mbíodh tóir ar chluichí áidh mar go bhfuarthas giotaí gloine a bhíodh in úsáid mar áiritheoirí, le linn tochailte anois is arís. Faraor, ní fios dúinn cad iad na rialacha a bhain leis na cluichí seo, agus mar sin, ní fios dúinn conas mar a d'imrítí iad.

Arán á dhéanamh i dteach Ceilteach. Tá an bhean ar deis agus bró á casadh aici le grán a mheilt ina phlúr, agus an bhean ar clé ag déanamh builíní as taos. Bhácáiltí na builíní san oigheann ar dhéanamh coirceoige atá sa chúlra nó ar leac chloiche théite ar an teallach.

15

TITHE CÓNAITHE NA gCEILTEACH

Cruth cruinn a bhíodh ar thithe na gCeilteach in Éirinn, sa Bhreatain, sa Spáinn, agus sa Phortaingéil go hiondúil ach i gcodanna eile den Eoraip bhídís cearnach nó leathfhada. Ceann tuí nó giolcaí agus é an-chrochta a bhíodh ar na tithe chun go ritheadh báisteach nó sneachta go réidh de. D'adhmad nó de chlocha a bhíodh na ballaí déanta de réir mar a bhíodh fáil orthu sa chomharsanacht ach adhmad ba choitianta. Ba mhinic cláir adhmaid nó creatlach adhmaid sa bhalla chun caolach ar a mbíodh dóib smeartha a choinneáil in airde.

Sa radharc trédhearcach thíos feictear foirgnimh ar láthair lonnaíochta Cheilteach, sa Ghaill (an Fhrainc), b'fhéidir. Tá cuid de lucht an bhaile agus stór nua gráin (ar clé) á thógáil acu. B'fhéidir go mbíodh uisce ag sileadh isteach sa pholl gráin agus go dtagadh clúmh liath ar an ngrán. Tá dream eile ag meascadh puitigh nó cré sa lochán (ar deis) le cur ar chaolach an stóir.

AN TAOBH ISTIGH

Ní bhíodh ach seomra mór amháin i dtithe na gCeilteach agus is ann a dhéantaí bia a bhruith agus a ithe, obair an tí agus codladh. Ba bheag troscán a bhíodh ann. Deir na scríbhneoirí fadó linn gur ar chraicne ainmhithe a shuíodh na Ceiltigh. Leataí na craicne ar an urlár cré crua nó ar fhorma cois balla, áit a gcodlaíodh na daoine freisin. Ba í an tine an ní ba thábhachtaí i ngach teach mar go bhféadfaí bia a bhruith uirthi agus go mbíodh teas agus solas aisti. Cuimhnigh nach mbíodh fuinneog ar bith ar na tithe acu. Bhíodh na tithe salach de bharr na tine mar nach mbíodh simléar ar bith orthu agus gur mhinic a thiteadh súiche mar nach mbíodh bealach amach ag an deatach tríd an gceann tuí.

CRÓITE AGUS SCIOBÓIL

Is minic a bhíodh cróite ag na Ceiltigh le haghaidh a gcuid ainmhithe, agus is dócha go mbíodh a gcuid uirlisí, a gcéachta, a gcairteacha agus a gcarbaid faoi dhíon acu freisin. Bhíodh stóras nó scioból acu le haghaidh an fhéir agus le málaí gráin a stóráil ar feadh tréimhsí gairide. Murab ionann is na stórais eile cláir adhmaid a bhíodh in urlár na stóras gráin agus iad ar chuaillí adhmaid píosa ó chothrom na talún chun nach bhféadfadh lucha ná francaigh teacht ar an ngrán. Chuiridís roinnt dá gcuid gráin i bpoill a bhíodh tuairim is 1.8 méadar ar doimhneacht agus iad líneáilte le caolach nó le clocha. Nuair a bhíodh an poll lán déantaí é a chlúdach le cré chun an t-aer a choinneáil amach.

1 An chreatlach adhmaid
2 Ballaí caolaigh is dóibe
3 Ceann tuí nó giolcaí
4 An teallach
5 Léibheann de chré chrua le codladh air
6 Stóras gráin

DÉANAMH TÍ

Ó tharla gan aon uirlisí cumhachta a bheith ag na Ceiltigh, caithfidh sé gurbh obair chrua teach a thógáil. Chaití an cineál ceart adhmaid a bhaint san fhoraois agus é a iompar ar ais go dtí láthair an tí. B'éigean creatlach an tí a dhéanamh ansin. Chuirtí bun na gcuaillí i bpoill sa talamh agus cheanglaítí na cláir nó an chreatlach díobh. Bhíodh tuí nó giolcach bainte agus triomaithe roimh ré le cur ar an díon. Líontaí na ballaí ansin le caolach agus dóib. Craobhóga fada caola nó slata fite ina chéile a bhíodh sa chaolach. Puiteach tiubh a bhíodh sa dóib.

Is é is dóichí nach maireadh na tithe adhmaid ach fiche bliain nó mar sin mar go lobhadh na hábhair a bhí iontu.

7 Stóras gráin á thógáil
8 Poll gráin
9 Ráth agus díog chosanta
10 Sonnach adhmaid

Bhíodh ceann tiubh tuí nó giolcaí ar thithe na gCeilteach leis an mbáisteach a choinneáil amach. Is cosúil nach mbíodh simléir orthu ná fiú poill deataigh iontu. B'fhéidir go n-éiríodh leis an deatach a bhealach a dhéanamh amach go mall tríd an ngiolcach. Ardaigh an leathanach trédhearcach agus breathnaigh isteach sa teach. Is beag atá ann – díreach teallach agus léibheann crochta le codladh air.

BIA AGUS CÚRSAÍ FEIRMEOIREACHTA

Is beag an difear idir an deimheas agus an corrán seo a bhíodh in úsáid ag na feirmeoirí Ceilteacha agus a leithéidí céanna a bhíodh in úsáid ag feirmeoirí i dtús an 20ú haois.

Ba chuma cén áit a mbíodh na Ceiltigh ag cur fúthu bhíodh an fheirmeoireacht an-tábhachtach dóibh. Bhíodh ar gach teaghlach a gcuid bia féin a sholáthar. Níorbh aon dóithín é sin mar ní raibh leasacháin cheimiceacha ná meaisíní ann chun cabhrú leis an bhfeirmeoir an uair úd.

AN CÉACHTA
B'fhearr an céachta Ceilteach ná ceann ar bith a bhí á úsáid roimhe sin i lár agus i dtuaisceart na hEorpa. As adhmad a bhíodh sé déanta ach go mbíodh bior iarainn air a chuireadh neart ann agus, ar ndóigh, b'fhurasta bior nua a chur air. Ní bhíodh an céachta sin in ann an fód a thiontú ná dul go domhain sa chré. Mar sin ní bhíodh mórán maitheasa ann ach san áit a mbíodh an chré éadrom.

Dá bharr sin b'fhearr leo an talamh ard a threabhadh seachas an talamh íseal sna gleannta áit a mbíodh an chré trom. Leis an gcré a bhriseadh a thuilleadh is é is dóichí go dtreabhtaí na garraithe faoi dhó – an dara huair, go hingearach leis an gcéad treabhadh. Tharraingítí clocha as an talamh agus d'fhágtaí iad ar na cinnfhearainn, áit a ndearnadh ballaí teorann díobh níos faide anonn. Tá a leithéidí go flúirseach in Éirinn agus sa Bhreatain fós.

BARRA
Díreach ar nós fheirmeoirí an lae inniu, shaothraíodh na Ceiltigh barra gráin, i.e. seagal, cruithneacht, eorna agus coirce. Shaothraídís pónairí agus lintilí agus stórálaidís ar feadh an gheimhridh iad. D'ití iad sin nuair a bhíodh an bia eile gann. Féarach d'ainmhithe nó móinéir a gcuid de na páirceanna. In áiteanna bhaintí an féar sa samhradh agus thriomaítí é le beostoc a bheathú i gcaitheamh an gheimhridh.

Bhíodh beirt ar a laghad ag teastáil le gort a threabhadh: duine leis an gcuingir damh a chinnireacht, agus an duine eile leis an gcéachta a ionramháil. Bhíodh daoine eile gnóthach ag bailiú na gcloch a nochtadh an céachta agus ag coinneáil an eallaigh amach as an ngort treafa.

SÍOL, ARÁN AGUS BEOIR

Ní fhaightí a oiread céanna síl as barr gráin i gcaitheamh Ré na gCeilteach is a fhaightear inniu. Mar sin chaití a lán arbhair a shaothrú chun riachtanais an teaghlaigh a sholáthar. Bhíodh an teaghlach ar fad ag déanamh an fhómhair. Thugtaí an t-arbhar ar ais go dtí na sciobóil, áit a mbuailtí de láimh é. D'imeodh an lóchán le gaoth agus ní bheadh fágtha ansin ach carn gráin.

Chaití cuid den ghrán a chur i dtaisce mar shíol na bliana dár gcionn. Chuirtí an farasbarr i dtaisce go mbíodh sé ag teastáil (féach lgh 17 & 19). Mheiltí an chuid ba mhó den ghrán a bhíodh i dtaisce le plúr aráin nó le min a dhéanamh le haghaidh leitean nó stobhaigh. Creid é nó ná creid dhéantaí beoir as an gcuid eile.

AINMHITHE FEIRME

Chomh maith le barra a shaothrú choinníodh na Ceiltigh ainmhithe – pórtha seanda d'ainmhithe an lae inniu. Choinnídís muca ar mhaithe lena gcuid feola, eallach ar mhaithe lena gcuid feola, bainne agus leathair, agus caoirigh ar mhaithe lena gcuid bainne agus olla. Ar mhaithe lena gcuid olla go príomha a choinnítí caoirigh agus bhíodh a gcuid feola ró-righin le hithe faoin am a maraítí iad. Choinnítí cearca agus géanna in áiteanna ar mhaithe lena gcuid uibheacha agus clúimh ach ní raibh cead de réir dlí a gcuid feola a ithe. Is cinnte go gcoinníodh na Ceiltigh Éireannacha beacha freisin i gcoirceoga (a dhéantaí as caolach, b'fhéidir) ar mhaithe lena gcuid meala agus chun meá a dhéanamh.

AN FIACH

Ba bhreá leis na Ceiltigh a bheith ag fiach na n-ainmhithe allta sna coillte thart orthu. Ba é an torc allta a rogha le hithe ach dhéanaidís fiach freisin ar mhic tíre agus ar ainmhithe eile a mharódh a gcuid tréad agus a mhillfeadh a gcuid barr. Le gathanna cosfhada a mharaídís iad go hiondúil ach corruair le saigheada ar a mbíodh bior iarainn nó le hurchar as crann tabhaill.

Mar is léir ón mionsamhail chré-umha seo as an Spáinn, ba ar muin capaill a dhéanadh na Ceiltigh fiach. Scanródh an cloigín ar mhuineál an chapaill an torc agus leanfadh an madra é go mbeadh sé tuirseach agus é éasca breith air.

Líontaí seanphoill ghráin le dramhaíl – potaí scoilte agus uirlisí briste agus a leithéidí. Bíonn na seandálaithe an-sásta teacht ar na poill seo mar cuireann siad fianaise ar mhodh maireachtála na gCeilteach ar fáil. Sa chúlra tá ualach adhmaid nuabhainte á bhaint den chairt ag roinnt fear.

D'úsáidtí flagúin mhaisithe, ar nós an chinn thuas a fuarthas sa Fhrainc, chun fíon a riar ag féastaí daoine saibhre.

Bhí dúil mhór ag na Ceiltigh i bhféastaí. Ócáidí móra a bhíodh iontu chun neart a ithe agus a ól ach ba mhinic a tharlaíodh clampar lena linn. Tráth a mbíodh féile ann thagadh an pobal ar fad le chéile chun a ndílseacht don taoiseach, nó don rí tuaithe i gcás na hÉireann, a léiriú. Bhíodh féastaí móra acu chun féilte speisialta, an Bhliain Úr, mar shampla, a cheiliúradh. In Éirinn ach go háirithe bhíodh breis agus leathdhosaen féilte móra ann i gcaitheamh na bliana.

BIA AGUS DEOCH

D'óltaí deochanna meisciúla le linn na bhféastaí. Bhíodh fíon ón Iodáil ag na daoine saibhre ach ní bhíodh ag na gnáthdhaoine ach beoir a dhéantaí as cruithneacht agus mil curtha léi. Daor nó buachaill óg a chuireadh cupán na dí ó dhuine go duine. Ní óladh na fir ach beagán sa turas ach bhíodh iliomad turas i gceist agus bhídís go léir ar meisce as a dheireadh.

Thaitníodh feoil chomh maith le deoch mheisciúil leis na Ceiltigh. Dhéantaí í a róstadh ar bhior nó a stobhadh i gcoire mór in éineacht le luibheanna agus glasraí. Muiceoil, mairteoil, torc allta nó feoil ainmhí ar bith a mharaíodh an lucht fiaigh a bhíodh acu. Bheadh súil ag an laoch ba chalma leis an gcuradhmhír agus bheadh ina throid mura bhfaigheadh sé í!

B'ócáidí callánacha iad féastaí na gCeilteach ar a gcaitheadh na daoine éadaí breátha agus seodra. Sa radharc seo tá an bard ag reacaireacht agus tá fear sa chúlra ag seinm ar an bhfeadóg mhór. Tá an freastalaí ar clé ag riar fíona a iompórtáladh ó na Rómhánaigh.

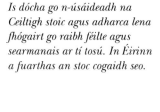

Is dócha go n-úsáideadh na Ceiltigh stoic agus adharca lena fhógairt go raibh féilte agus searmanais ar tí tosú. In Éirinn a fuarthas an stoc cogaidh seo.

FÁILTE NA gCEILTEACH

Bhí na Ceiltigh fial fáilteach agus chuiridís fáilte roimh strainséirí ag a gcuid féilte. Is éard a dúirt Diodorus Siculus, scríbhneoir, fúthu, 'Tugann siad cuireadh do strainséirí chuig a gcuid féastaí agus ní go dtí go mbíonn an béile caite acu a fhiafraíonn siad díobh cér díobh iad agus a mbíonn uathu.' D'insíodh file nó bard na treibhe scéalta agus seanchas na nglún a chuaigh rompu dóibh siúd a bhíodh i láthair. Ba mhinic na laochra ag maíomh as an ngaisce a bhí déanta acu i gcúrsaí fiaigh agus troda.

SAMHAIN

Samhain an fhéile ba thábhachtaí ag na Ceiltigh agus ba é an rud a bhíodh á cheiliúradh ná tús na hAthbhliana. Ar an 1ú Samhain a cheiliúrtaí í, an tráth a dtugtaí an t-eallach isteach ón bhféarach agus a mharaítí na hainmhithe nach mbíodh ag teastáil le haghaidh pórú. Mar nár bhain féile na Samhna leis an mbliain nua ná leis an mbliain a bhí caite síleadh gur bhain draíocht léi agus go dtagadh airm saighdiúirí sí amach as na huaimheanna agus as na tulacha agus go bhféadfadh an duine beo agus na sprideanna casadh ar a chéile. Nuair a tháinig an Chríostaíocht tugadh Féile na Marbh Uile ar an 2ú lá de mhí na Samhna agus Féile na Naomh Uile ar Lá Samhna féin. Tá Oíche Shamhna againn fós agus maireann roinnt éigin de na sean-nósanna fós féin.

BEALTAINE

I dtús mhí na Bealtaine a cheiliúrtaí féile na Bealtaine agus ba í an dara féile ba thábhachtaí í ag na Ceiltigh. Ba é an t-am é a gcuirtí an t-eallach ar féarach arís tar éis dóibh a bheith sna cróite ar feadh an gheimhridh. Lasadh na Ceiltigh tinte cnámh móra agus sheoladís an t-eallach eatarthu. Síleadh gur chosaint é sin ar ghalair a theacht ar an eallach.

IMBOLC AGUS LUGHNASA

Níor bhain an tábhacht chéanna leis na féilte seo is a bhain leis na cinn eile. Ar an 1ú Feabhra (Lá le Bríde sa lá atá inniu ann) a cheiliúrtaí Imbolc, tráth a mbíodh tús le breith na n-uan agus flúirse bainne ag na caoirigh leis na huain a bheathú agus le cáis a dhéanamh. Ar 1 Lúnasa a cheiliúrtaí Féile na Lughnasa, tráth a mbíodh na barra ag aibiú sna goirt agus súil ag daoine le fómhar maith agus neart le hithe i gcaitheamh an gheimhridh.

Líontaí an coire seo, ar a dtugtar *krater*, le fíon ag féastaí. As cré-umha atá sé déanta agus is iomaí lítear fíona a thógfadh sé chun é a líonadh!

B'iomaí sin dia agus bandia ag na Ceiltigh. Cuid acu bhain siad leis na Ceiltigh ar fad ach cuid eile ba le treibheanna áirithe a bhain siad. Bhíodh déithe cogaidh agus fiaigh acu agus bandéithe torthúlachta, leighis agus fómhair.

DÉITHE AN DÚLRA

Ó tharla gurbh fheirmeoirí formhór na gCeilteach agus go mbídís ag brath ar na séasúir agus ar an dúlra bhí baint dhíreach idir an creideamh acu agus a dtimpeallacht. Bhain a gcuid déithe le crainn, le clocha, le lochanna agus le toibreacha. Bhíodh dia áirithe dá cuid féin ag gach treibh freisin.

Ollmháthair na Cruinne a bhí os cionn na ndéithe sin uile. Ó tharla gur chreid na daoine go raibh ómós agus urraim ag dul do na déithe agus do na bandéithe dhéantaí íobairtí chucu anois is arís.

Chaitheadh na draoithe earraí luachmhara, cuacha óir, airm agus a leithéidí, isteach san uisce mar íobairt do na déithe. Go hiondúil, bhristí nó chamtaí lanna claimhte, sceana agus miodóg sula gcaití isteach iad.

TOIBREACHA BEANNAITHE

Bhídís ag brath ar thoibreacha nádúrtha le huisce a fháil dóibh féin agus dá gcuid ainmhithe. Mar gurbh ón talamh a thagadh an t-uisce síleadh go raibh baint aige le hOllmháthair na Cruinne agus creideadh gur bhandéithe seachas déithe a bhí ina gcónaí sna toibreacha beannaithe.

Elen ab ainm do dhuine de na bandéithe sin agus ba bhandia leighis í freisin. Duine eile acu ba ea *Sulis* a bhí i mbun an tobair in Bath. *Aquae Sulis*, a chiallaíonn Uiscí Sulis, a thug na Rómhánaigh ar an mbaile a thóg siad ar an láthair sin. Chreideadh na Ceiltigh go raibh na bandéithe uisce in ann daoine a leigheas, daoine a chosaint i gcath dóibh nó in ann a chinntiú nach rachadh an tobar i ndísc le linn triomaigh. Nuair a bheadh gar ag teastáil ó dhuine ó bhandia uisce ní bheadh le déanamh aige ach earra luachmhar dá chuid a chaitheamh san uisce.

DOIRÍ BEANNAITHE

Ba gheall le teampaill ag na Ceiltigh doirí áirithe. De réir Lucan, file de chuid na Róimhe, ligeadh na Ceiltigh do na doirí beannaithe dul chun fiántais sa chaoi go dtagadh craobhacha na gcrann le chéile thuas ionas go mbíodh sé dorcha thíos. Bhíodh fíoracha na ndéithe snoite as cabhlacha crann sna doirí úd agus ina dteannta altóirí ar a ndéanadh na draoithe íobairtí. D'fhéadfadh sé gur íobairtí ar dhaoine chomh maith le hainmhithe iad sin mar go ndúirt Lucan go spréití na crainn le fuil dhaonna.

DRAOITHE

In Éirinn, sa Bhreatain agus sa Ghaill ba iad na draoithe a bhíodh i mbun na searmanas creidimh. Ba de shliocht uaisle iad is cosúil. Ba mhúinteoirí iad agus eolas acu ar dhlíthe na treibhe. Ba mhinic gurbh iad a dhéanadh cinneadh faoi chúrsaí cogaíochta.

Faoi rún a dhéanaidís cuid mhaith de na searmanais. Ní scríobhaidís dada síos agus bhacaidís daoine eile ar scríobh nó ar léamh. Ó bhéal a chuirtí a gcuid eolais ó ghlúin go glúin. Thógadh sé suas le 20 bliain chun draoi a thraenáil.

Bhíodh sé de dhualgas ar an draoi féilire na bliana a chur le chéile. Léiríonn an féilire seo a fuarthas sa Fhrainc laethanta ámharacha agus mí-ámharacha.

DAIR AGUS DRUALUS

Dar leis na Ceiltigh ba í an dair an crann ba bheannaithe. Bhí an drualus beannaithe, dar leo, freisin, agus chreid siad go gcuidíodh sé le duine a leigheas agus go gcuireadh sé leis an torthúlacht.

'Creideann siad má ólann ainmhí aimrid deoch dhrualusa go leigheasfar é, agus gur cealú é ar gach uile nimh.'

--- *Pliny* ---

Dealraíonn sé, áfach, go raibh a fhios ag na draoithe gur planda nimhiúil a bhí ann mar go dtugtaí le hól do na híobartaigh é!

Fuair seandálaithe an-chuid dealbh agus píosaí snoíodóireachta de dhéithe Ceilteacha. Tá trí fhíor de bhandia an uisce, Conventina, thuas. Is é Daghdha (i.e. dea-dhia) na hÉireann atá sa dealbh ar clé.

Ní ligtí isteach sna doirí naofa ina bhfásadh an drualus ach na draoithe amháin. Ghearraidís an drualus le corrán óir agus chuiridís brat bán éadaigh faoi ar fhaitíos go dtitfeadh sé go talamh.

23

TUAMAÍ NA nUASAL

Chreid na sean-Cheiltigh i saol iarbháis. Ba é a chreid siad ná nuair a chailltí duine go rachadh sé go dtí an Saol Eile áit a mbíodh an saol mórán mar atá anseo. Tar éis tamaill chaillfí an duine sa Saol Eile agus thiocfadh sé ar ais go dtí an saol seo againne. Ar an gcaoi sin chasfaí a chairde agus a theaghlach ar dhuine arís is arís eile.

Cas an leathanach trédhearcach agus feicfidh tú an taobh istigh de thuama mná uaisle a fuarthas faoi charn in Vix na Fraince. Cuireadh a corp ar vaigín agus adhlacadh an cuach maisithe ón nGréig ar deis agus cré-earraí eile in éineacht léi. Feicfidh tú ar deis freisin cuid de chorr mhaisithe an choire chré-umha ollmhóir a cuireadh sa tuama ina teannta.

NA hUAIGHEANNA

Ba mhinic a chuireadh na Ceiltigh giuirléidí an mhairbh san uaigh leis, e.g. éadaí galánta agus nithe eile a bheadh ag teastáil uaidh sa Saol Eile. Chuirtí leis an marbh freisin rudaí a bheadh ag teastáil uaidh ar a thuras go dtí an saol eile úd, e.g. bia agus deoch. Rud coitianta ba ea spólaí mairteola a chur leis an duine marbh. Cuireadh 40 lítear fíona de chuid na hIodáile le duine amháin!

1 **Bean uasal agus torc uirthi**
2 **Cairt**
3 **Rothaí cairte**
4 *Krater* **Vix**
5 **Prionsa Hochdorf**
6 **Tolg cré-umha**
7 **Adharca ólacháin**
8 **Miasa cré-umha ar chairt**
9 **Coire cré-umha ón Iodáil**
10 **Bláthanna**

CRÉAMADH

Chréamadh cuid de na Ceiltigh na mairbh in ionad iad a chur in uaigh. Tar éis an chréamtha chuirtí luaithreach na gcnámh i bpróca in uaigh bheag. Fiú sa chás sin chuirtí bia agus deoch agus nithe eile a bheadh áisiúil don mharbh sa Saol Eile in éineacht leis. Níor thángthas ach ar fhíorbheagán uaigheanna i réigiúin áirithe – is cosúil go scaipeadh Ceiltigh na gceantar sin luaithreach na marbh.

ADHLACADH AGUS CARBAID

Ba mhinic a d'adhlactaí carbad leis an marbhán, rud a léirigh go mbíodh an carbad chomh tábhachtach céanna do dhuine tar éis a bháis is a bhí le linn a shaoil. Uaireanta bhaintí na carbaid ó chéile agus leagtaí na rothaí ar a dtaobh i dtóin na huaighe agus an corp anuas orthu ach uaireanta eile chuirtí iad ina chéile agus iad ina seasamh.

Níltear cinnte an mbíodh na carbaid ceaptha an marbhán a thabhairt anonn go dtí an Saol Eile nó an amhlaidh a léirigh siad céimíocht an duine mhairbh sa saol seo. I gcás amháin adhlacadh dhá chapall leis an marbhán.

TUAMAÍ NA nUASAL

Thángthas ar thuamaí mórthaibhseacha, sa Ghearmáin agus sa Fhrainc den chuid is mó. Mar is léir ón bpictiúr tá cuma orthu ón taobh amuigh gur tulacha móra iad. Mar go raibh siad chomh feiceálach sin rinneadh slad orthu agus goideadh na hearraí óir agus airgid a adhlacadh i dteannta na marbh iontu.

Léiríonn an pictiúr trédhearcach thíos tulach á tógáil ag treibh os cionn tuama agus dealbh mhór os a chionn sin arís. Ardaigh an leathanach plaisteach agus feicfidh tú na tuamaí ina n-adhlactaí na huaisle ar an taobh istigh.

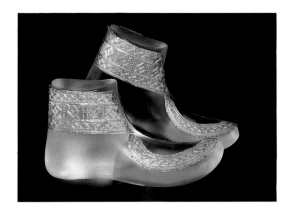

Cas an leathanach trédhearcach agus féach an taobh istigh den tuama inar cuireadh flaith (prionsa) Ceilteach. Adhlacadh é tuairim na bliana 525 R.Ch. in Hochdorf na Gearmáine (mar atá inniu). Tógadh an seomra adhmaid i gclais agus cuireadh tulach a bhí 6 mhéadar ar airde agus 60 méadar ar leithead os a chionn. Ar clé feicfidh tú ceann de na leoin chré-umha a bhí mar mhaisiú ar choire mór sa tuama. Tuigfidh tú freisin go gcaithfidh sé go raibh maisiú óir ar a bhróga mar go bhfuarthas bandaí óir ar a chosa.

CÚRSAÍ CEARDAÍOCHTA

Bhíodh na teaghlaigh in ann a gcuid bia agus éadaí féin a chur ar fáil. Ar an gcaoi chéanna bhídís in ann na gnáthuirlisí a bhíodh ag teastáil uathu a dhéanamh freisin. Dá mbeadh rud éigin speisialta uathu, áfach, agus iad in ann an costas a sheasamh, théidís chuig ceardaí a bheadh oilte ar an obair.

CEARDAÍOCHT

Bhí clú agus cáil ar cheardaithe na gCeilteach sa seansaol fadó. Ach nuair a tháinig na seandálaithe ar ghiuirléidí áille ar láithreacha de chuid na gCeilteach shíl siad ar dtús gurbh ó na Gréagaigh nó ó na Rómhánaigh a cheannaigh siad iad. Níor chreid siad go raibh an scil ag na Ceiltigh a leithéid d'obair ealaíonta a chur ar fáil i ngloine, i gcruan, in ór, in airgead, i gcré-umha agus in iarann. Ach de réir a chéile tháinig na seandálaithe ar fhianaise, de leithéidí múnlaí speisialta, uirlisí agus fuíollábhair, a léirigh gurbh iad na Ceiltigh a rinne na rudaí sin iad féin.

AN GABHA ÓIR

Ba é an t-ór rogha na gCeilteach le haghaidh seodra agus maisiú. Maidir le déanamh torc (fáinní muiníl) bhaineadh an gabha óir síneadh as an ór chun sreanga caola a dhéanamh as agus ansin chasadh sé na sreanga ar a chéile chun rópa óir a dhéanamh. Chuirtí cruth ar an torc ansin le go rachadh sé thart ar mhuineál an laoich agus chuirtí ornáidí óir ar an dá fhoirceann. Bhíodh gréas ar na hornáidí foircinn go minic mar gur i múnlaí maisithe a dhéantaí iad.

Dá dteastódh ón ngabha rud a mhaisiú, péire bróg cuir i gcás, dhéanfadh sé barraí beaga den ór ar dtús. Dhéantaí leatháin mhóra díobh sin le casúr agus d'fhéadfaí gréasa a ghearradh orthu sin nó iad a stampáil le dísle maisithe.

Bhíodh na Ceiltigh an-tugtha do ghréasa a bhíodh bunaithe ar chiorcail. D'úsáidtí compás iarainn le himlíne an ghréasa a scríobadh ar an rud a bhí le maisiú. D'fhéadfaí cruth an ruda a ghearradh ansin agus é a líonadh le cruan daite nó é a fhágáil gan líonadh.

EARRAÍ GLOINE

Faoin mbliain 250 R.Ch. bhí faighte amach ag Ceiltigh Lár na hEorpa conas gloine a dhéanamh. Ní bhídís in ann í a dhéanamh ach ina giotaí beaga, rud a d'fhág nach bhféadaidís fuinneoga a dhéanamh aisti. Bráisléid agus coirníní is mó a dhéantaí aisti. Bhíodh an-tóir ag na Ceiltigh ar ghloine dhaite agus chuiridís mianraí éagsúla, copar nó iarann púdraithe leis an ngloine fad a bhíodh sí fós ina leacht. Nuair a bheadh coirnín nó bráisléad déanta d'fhéadfaí gréas nó patrún a chur leis trí ghloine leachtach ar dhathanna éagsúla a tharraingt trasna air. Chuirtí gréasa uaireanta ar na coirníní agus ar na bráisléid agus iad á ndéanamh.

AN CRUAN

Mhaisíodh na Ceiltigh a gcuid earraí cré-umha le cruan go minic. Dearg an dath ba choitianta ach bhí tóir ar bhuí, ar ghorm is ar uaine freisin.
Chun an cruan a dhéanamh théidís meascán de ghloine ghrianchloiche, de mhian luaidhe agus de mhianra mar chopraít faoi ardteocht i mbreogán cloiche nó cré. Gharbhaíodh an ceardaí dromchla an ruda a bhí le cruanadh agus dhoirteadh sé an cruan leachtach te anuas air. De réir mar a d'éiríodh an cruan fuar ghreamaíodh sé den earra. Dá mbeadh níos mó ná dath amháin ag teastáil níor mhór don cheardaí a bheith cáiréiseach agus an dara dath a chur san áit cheart ar an bpatrún!

GRÉASA NA gCEILTEACH

Ba iad na Ceiltigh a chum cuid de na gréasa sainiúla atá ar ár gcuid seodra inniu. Bhí cuid mhaith díobh bunaithe ar chiorcail a dhéanadh na ceardaithe le compás iarainn. Bhí guairneáin agus an patrún tríchosach atá fós in úsáid mar shuaitheantas ag Manainn chomh maith le móitífeanna ainmhithe ar a lán de na gréasa. Tá a fhios againn go mbíodh an-tóir ar ornáidí i riocht ainmhithe mar gur thángthas ar go leor díobh agus iad déanta as gloine agus as miotal.

Seo cuid de na hearraí a dhéanadh na ceardaithe Ceilteacha. As cré-umha atá an chuid is mó acu déanta agus iad maisithe le cruan nó le gréasa fíneálta fíolagráin. Tá roinnt airgid sa chlogad agus é maisithe le coiréal.

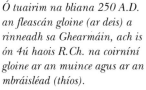

Ó tuairim na bliana 250 A.D. an fleascán gloine (ar dheis) a rinneadh sa Ghearmáin, ach is ón 4ú haois R.Ch. na coirníní gloine ar an muince agus ar an mbráisléad (thíos).

CÚRSAÍ TRÁDÁLA

Fuarthas barraí iarainn mar iad seo (thuas), atá tuairim is 80 cm ar fad, ar láithreacha lonnaíochta Ceilteacha. Is cosúil go ndéantaí iad a bhabhtáil ar earraí eile ach ar ndóigh, d'fhéadfaí uirlisí agus airm iarainn a dheisiú leo chomh maith.

Bhíodh na Ceiltigh ag trádáil eatarthu féin agus lena gcuid comharsan ó thús a ré. Bhídís sásta achar fada a thaisteal chun an farasbarr acu – earraí nó amhábhar – a mhalartú ar earraí nach mbíodh acu féin. De bhrí gur mhair an tsibhialtacht acu chomh fada sin agus go raibh sí chomh fairsing sin b'iomaí cine a mbídís ag trádáil leo, e.g. na Féinícigh, na Cartagaigh, na hÉatrúscaigh, na Gréagaigh agus na Rómhánaigh. Bhíodh na ciníocha sin i mbun trádála le ciníocha eile sa chaoi go bhfaigheadh na Ceiltigh earraí ó gach cuid den seansaol, go fiú ón tSín.

SALANN, STÁN AGUS COPAR
Iad siúd a thug salann leo ó Hallstatt thar na hAlpa chuig cathracha na Gréige, ba iad sin na chéad trádálaithe Ceilteacha a bhfuil eolas againn orthu. Caithfidh sé go raibh trádálaithe ann rompusan mar nach raibh fáil ar stán ná ar chopar – an dá mhiotal is gá chun cré-umha a dhéanamh – i ngach cuid den Eoraip. Bhíodh an copar fairsing go leor ach ní fhaightí an stán ach i gCorn na Breataine, sa Bhriotáin agus in iarthuaisceart na Spáinne agus na Portaingéile mar atá inniu. Mar sin bhíodh ar na trádálaithe stáin achair fhada a chur díobh ar tír, agus ar muir b'fhéidir, chun an stán a thabhairt abhaile.

BABHTÁIL NÓ AIRGEAD TIRIM?
Ar feadh na gcéadta bliain babhtáil a dhéanadh na Ceiltigh seachas íoc as earraí le boinn airgid. Barraí iarainn a bhíodh le babhtáil acu uaireanta. Go déanach i Ré na gCeilteach, áfach, bhainidís úsáid as boinn airgid. Amhais de chuid na gCeilteach, is cosúil a thug na chéad bhoinn airgid abhaile ón nGréig.

EARRAÍ GALÁNTA
Dhéanadh na Ceiltigh earraí áille iad féin ach d'iompórtáladh an dream saibhir earraí daorluachacha galánta le cur lena ngradam féin i measc a bpobail féin. Ar dtús ba iad na trádálaithe a d'iompraíodh iad thar na hAlpa ach faoin mbliain 600 R.Ch. bhí na Gréagaigh tar éis Massilia a bhunú, coilíneacht trádála in aice bhéal na Róine. Trí Mhassilia bhí teacht ag na trádálaithe Ceilteacha ar chalafoirt eile na Meánmhara agus ar na tailte Ceilteacha san iarthar bealach na n-aibhneacha.

D'fhág sin go raibh sé níos éasca earraí a iompar. Is é is dóichí gur feadh na dtrádbhealaí sin a iompraíodh go leor de na hearraí galánta ar thángthas orthu in ionaid adhlactha sa Fhrainc, sa Ghearmáin agus san Eilvéis.

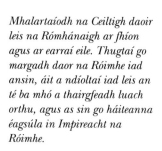

Mhalartaíodh na Ceiltigh daoir leis na Rómhánaigh ar fhíon agus ar earraí eile. Thugtaí go margadh daor na Róimhe iad ansin, áit a ndíoltaí iad leis an té ba mhó a thairgfeadh luach orthu, agus as sin go háiteanna éagsúla in Impireacht na Róimhe.

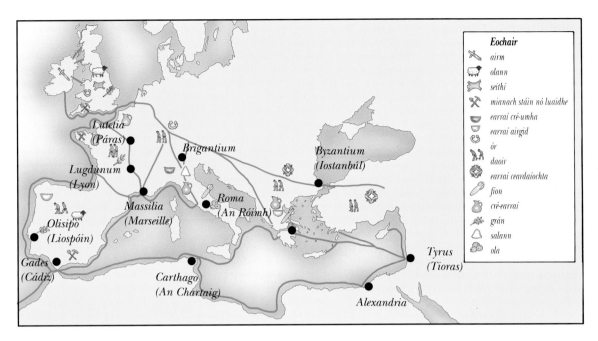

Mar atá léirithe ar an mapa seo dá dtrádbhealaí, d'iompraíodh na Ceiltigh a gcuid earraí ar muir is ar tír. Ní chuireadh na Ceiltigh uile turais fhada díobh, áfach. Ba éard a dhéanaidís go minic a gcuid earraí a thabhairt go háit áirithe, iad a mhalartú le trádálaithe ó cheantair eile, agus ansin thabharfadh an dá dhream aghaidh ar an mbaile.

Eochair

⚔	airm
🐑	olann
	seithí
⚒	mianach stáin nó luaidhe
	earraí cré-umha
	earraí airgid
	ór
	daoir
	earraí ceardaíochta
	fíon
	cré-earraí
	grán
△	salann
	ola

NA RÓMHÁNAIGH

Ba iad na Rómhánaigh an dream ba thábhachtaí a mbíodh na Ceiltigh ag trádáil leo, go háirithe de réir mar a tháinig méadú ar Impireacht na Róimhe. Bhíodh sclábhaithe ag teastáil ó na Rómhánaigh agus níorbh i dtithe na ndaoine saibhre amháin a chuirtí iad. Chuirtí ag obair iad ar fheirmeacha, i mianaigh agus i dtionscail eile. Mhalartaíodh na Ceiltigh sclábhaithe ar fhíon na hIodáile. Bhraith na Rómhánaigh gurbh acu féin a bhí an chuid ab fhearr den mhargadh mar go mbíodh na Ceiltigh sásta le crúsca amháin fíona ar sclábhaí.

Bhíodh an-tóir ag na Rómhánaigh ar éadach olla na gCeilteach. Mar phluideanna a d'úsáididís an t-éadach páircíneach agus stríocach is cosúil ach ba é a rogha ná éadach dearg ó Cheiltigh na Breataine.

Dealraíonn sé gurb é an meas mór a bhíodh ag na Ceiltigh ar fhíon na hIodáile ba chúis leis sin mar bhíodh ard-urraim ina measc don té a mbíodh fíon breá dá leithéid aige.

ÉADACH AGUS CRÉ-EARRAÍ

Chomh maith le sclábhaithe cheannaíodh na Rómhánaigh éadach olla a mbíodh mianach maith ann ó na Ceiltigh. Dar le cuid de na Rómhánaigh barbaraigh ba ea na Ceiltigh mar go mbídís gléasta i seithí ainmhithe ach b'fhearr a n-éadach siúd ná éadach na Rómhánach. Mar mhalairt air d'fhaighidís cré-earraí agus earraí gloine ó na Rómhánaigh. Cheannaíodh Ceiltigh dheisceart na Gaille go leor de na cré-earraí agus dhéanaidís macasamhla díobh a dhíolaidís le Ceiltigh an tuaiscirt.

Fuarthas na cré-earraí thíos de dhéantús na hIodáile agus píosaí de chrúscaí fíona in ionad trádála de chuid na gCeilteach cois na Réine in Basel na hEilvéise.

CÚRSAÍ IOMPAIR

Cé gur dheacra go mór taisteal i gcaitheamh Ré na gCeilteach ná inniu bhíodh na Ceiltigh in ann iad féin agus a gcuid earraí a iompar ar fud na hEorpa agus na Meánmhara. De chois, ar muin capall, i gcarbaid, i gcairteacha a théidís agus sin ag brath ar an gcineál tíre. B'iontach na saoir bhád iad agus dá bhrí sin bhíodh na treibheanna Ceilteacha a mbíodh cónaí orthu in aice an uisce in ann taisteal i mbáid.

TURAIS CHONTÚIRTEACHA
Bhí i bhfad níos mó foraoisí san Eoraip an uair úd ná mar atá inniu. Bhí an taisteal contúirteach agus is dócha go bhfaigheadh go leor bás den ocras nó go maraíodh ainmhithe allta iad mar bhí siad go flúirseach an uair úd. Is é is dóichí freisin go bhfaigheadh a lán taistealaithe bás leis an bhfuacht ar na sléibhte arda mar nach mbíodh foscadh ná dídean le fáil.

CAIRTEACHA
Ar chairteacha ceithre roth a thaistealaíodh na Ceiltigh ar thalamh réidh. Ar nós na gcarbad, rothaí adhmaid agus fonsaí iarainn orthu a bhíodh fúthu. Dhá chapall a bhíodh á dtarraingt le cuing adhmaid a bhíodh greamaithe de sheafta i lár baill. Ní bheadh an modh oibre sin compordach ag an gcapall ná éifeachtach de bhrí gur le neart a chliabhraigh a tharraingíonn capall. Cé go mbíodh na cairteacha áisiúil mar mhodh taistil ag teaghlaigh is cosúil nach mbaintí úsáid astu ach ar aistir ghairide mar nach raibh mórán bóithre réidhe i dtailte na gCeilteach.

Is éard atá léirithe thíos ná bád trádála agus í tagtha isteach i gcalafort Ceilteach na Ginéive. Tá cuid den dream i gcuracha ag díluchtú an bháid agus tabharfaidh dream eile an lasta leo i gcairteacha capall nó i mbáid bheaga. Tháinig seandálaithe ar a raibh fágtha de ché a bhí 30 méadar ar fad agus de shonnach adhmaid a chosnaíodh an calafort ar stoirmeacha agus ar thonnta fadó.

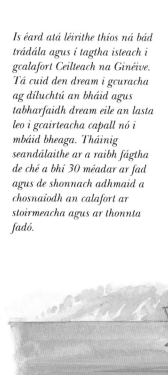

CURACHA AGUS BÁID

Bhíodh go leor de na Ceiltigh ina gcónaí cois aibhneacha nó lochanna agus níor mhór dóibh báid a bheith acu chun iascaigh agus chun taistil. Curacha na báid ba shimplí a bhíodh acu. Cruth cruinn a bhíodh ar na chéad churacha ach uaireanta bhídís dronuilleogach agus cúinní maola orthu. Bhíodh a leithéidí in oirthear Éireann go dtí cúpla céad bliain ó shin agus tá corrcheann sa Bhreatain Bheag i gcónaí. Is astu a d'fhorbair na curacha agus na naomhóga in iarthar Éireann a bhfuil taithí againn orthu. Céasla amháin a bhíodh ag an aon duine a bhíodh iontu. De bhrí go mbídís an-éadrom d'fhéadtaí iad a chrochadh as an uisce agus iad a iompar thart ar easanna agus araile.

Le haghaidh aistir fhada ar farraige, áfach, bhíodh báid adhmaid níos mó ná sin ag na Ceiltigh. Bhíodh roinnt mhaith péirí maidí agus crann seoil iontu seo chun go bhféadfaí iad a sheoladh dá mbeadh an aimsir oiriúnach.

TURAIS FHARRAIGE

Is cosúil gur chontúirtí an fharraige ná na sléibhte i gcás na gCeilteach. Ó tharla nach mbíodh cairteacha ná mapaí acu bhídís ag brath ar an ngealach is ar an ngrian chun a mbealach a dhéanamh. D'fhéadfaí na longa ba mhó, fiú longa na Veneti in iarthar na Fraince, a scriosadh dá dtagadh gála go tobann. I ngeall air sin sheoladh na Ceiltigh gar don chósta agus ghabhaidís an t-aicearra i gcónaí idir dhá áit.

AISTIR INA nGEÁBHANNA

Go hiondúil ní sheoladh na Ceiltigh ach feadh cóstaí a mbíodh eolas acu orthu. Nuair a chastaí i bhfarraige iad nach mbíodh eolas acu uirthi bhainidís calafort amach agus d'aistrídís an lastas isteach i mbád eile a mbeadh eolas ag a foireann ar an bhfarraige áirithe sin. D'fhéadfadh sé sin tarlú cúpla uair sula mbaineadh an lastas ceann cúrsa amach.

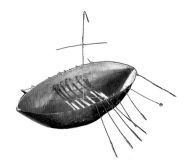

Samhail óir de long Cheilteach atá thuas, a fuarthas in Éirinn. B'fhéidir gurbh ofráil é do Mhanannán mac Lir, dia na farraige.

Chreid na Ceiltigh go raibh a gcalafort sa Ghinéiv faoi choimirce an dé atá léirithe sa dealbh mhór dharach thuas. Rinneadh an dealbh tuairim na bliana 80 R.Ch.

31

BRUGH

Ó fhianaise na seandálaíochta tá a fhios againn nach mbíodh tithe na gCeilteach ach aon stór amháin ar airde. Tuairim an 1ú céad R.Ch. thosaigh na Ceiltigh ar an gcósta thuaidh d'Albain agus ar oileáin an tuaiscirt agus in Inse Gall ar thithe arda cruinne, ar a dtugtar Brugha, a thógáil. Bhídis idir 12 – 25 méadar ar a dtrastomhas ar a mbun ach bhídis níos caoile ag an mbarr. As an gcloch áitiúil a dhéantaí iad. Bhídis ar a laghad 15 méadar ar airde agus ní úsáidtí moirtéal ar bith agus iad á dtógáil. Bhíodh dhá roinn sna ballaí – inmheánach agus seachtrach – agus iad greamaithe le chéile in áiteanna le leaca fada. Idir na ballaí bhíodh staighre cloiche idir na hurláir.

AN TAOBH ISTIGH

Is chun a mbíodh istigh a chosaint a thógtaí Brugha. Doras amháin ar leibhéal na talún a bhíodh orthu. Bhíodh clós taobh istigh den doras agus tobar nó teallach ina lár. Ar léibhinn os a chionn sin, taobh leis an mballa laistigh, a bhíodh na seomraí. Bhíodh urláir agus ballaí adhmaid orthu, agus díon giolcaí nó tuí a mbíodh fána leis i dtreo an chlóis. Caithfidh sé go mbíodh sé an-mhíchompordach sna brugha mar bhíodh níos mó ná teaghlach amháin iontu. Rud eile de, bhíodh sé an-fhuar agus an-dorcha istigh iontu mar nach mbíodh fuinneog ar bith orthu.

IN AICE LÁIMHE

Fuarthas go leor foirgneamh eile thart ar láithreacha na mbrugh, e.g. na tithe ina gcónaíodh na daoine de ghnáth agus na foirgnimh ina mbíodh a gcuid ainmhithe agus a gcuid bia. Bhíodh balla ar an taobh amuigh freisin leis an áit ar fad a chosaint ar naimhde. Tar éis deireadh an 1ú céad A.D., áfach, tréigeadh na brugha agus chuaigh siad chun raice. D'fhan na daoine ina gcónaí ar na láithreacha céanna agus go minic úsáideadh clocha as na brugha chun foirgnimh nua a thógáil.

Tá an brugh sa radharc seo bunaithe ar an gceann in Clickhimin in Inse Shealtainn. Bhí cónaí ar an láthair leis na blianta sular tógadh teach geata mar chosaint ar an mbealach isteach. Cas an leathanach trédhearcach agus feicfidh tú an láthair lonnaíochta, an brugh agus an taobh istigh den bhrugh.

1 Foirgneamh mar chosaint ar an ngeata amuigh
2 Balla dúbailte cloch
3 Staighre
4 Léibheann adhmaid
5 Ceann tuí nó giolcaí
6 Teallach cloiche
7 Uchtbhalla

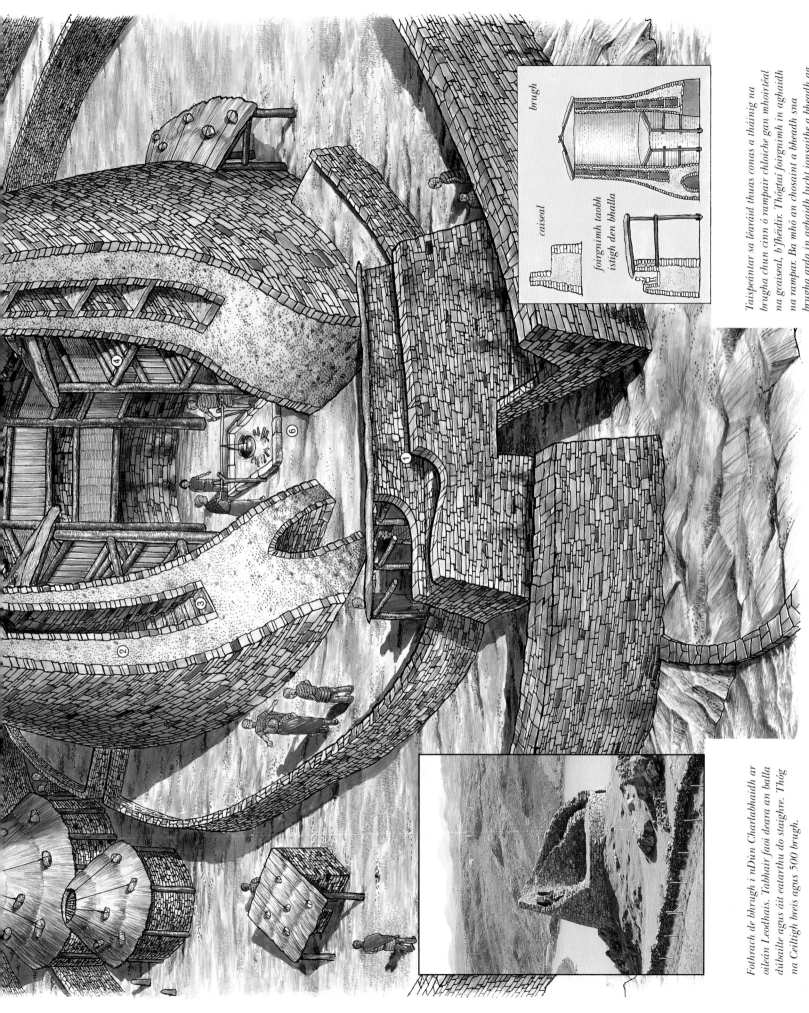

Fothrach de bhrugh i nDùn Chàrlabhaigh ar oileán Leodhais. Tabhair faoi deara an balla dùbailte agus áit eatarthu do staighre. Thóg na Ceiltigh breis agus 500 brugh.

brugh

caiseal

foirgnimh taobh istigh den bhalla

Taispeántar sa léaráid thuas conas a tháinig na brugha chun cinn ó rampair chloiche gan mhoirtéal na gcaiseal, b'fhéidir. Thógtaí foirgnimh in aghaidh na rampar. Ba mhó an chosaint a bheadh sna brugha arda in aghaidh lucht ionsaithe a bheadh ag iarraidh iad a chur trí thine le hurchair as crainn tabhaill.

Bhíodh an-mheas ag na Ceiltigh ar a gcuid capall. Ba le haghaidh iompair agus spraoi iad. Bhí bandia capall, *Epona*, ag Ceiltigh na Gaille agus na Breataine.

BOINN AIRGID

Tá a fhios againn go mbíodh na Ceiltigh an-mhórálach as a gcuid capall mar go léirítí capaill agus carbaid ar a gcuid bonn óir ón gcéad aois R.Ch. i leith. Bhíodh an-mheas ag na Rómhánaigh orthu mar mharcaigh agus dá bharr sin d'earcáidís go leor marcach as réigiúin na gCeilteach sa Spáinn agus sa Ghaill isteach ina n-arm féin.

Fuarthas an dealbh thuas sa Fhrainc. Léirítear an bandia Epona agus capall léi.

CAPAILL FAOI ÚIM

Níltear cinnte cathain a ceansaíodh capaill san Eoraip ar dtús. Is é is dóichí gur cheansaigh na Ceiltigh iad faoin mbliain 700 R.Ch. mar gur thángthas ar a lán feisteas úmacha a bhaineann leis an tréimhse sin. Fuarthas béalbhacha atá an-chosúil leo sin atá ann inniu chomh maith le gabhálais chruanta le húmacha a mhaisiú agus a neartú. Bhíodh strapaí leathair na húma ceangailte le chéile le fáinní cré-umha agus iarainn. Níl fianaise ar bith againn ón tréimhse sin go mbíodh crúite faoi chrúba na gcapall ach ba chuma faoi sin mar nárbh ar bhóithre crua a bhídís ag taisteal.

Rásaí carbad an caitheamh aimsire ba rogha leis na Ceiltigh. Ní úsáidtí carbaid i gcogaí tar éis 200 R.Ch. nó mar sin ach amháin sa Bhreatain. Ach chleachtadh na huaisle an rásaíocht carbad ar feadh na mblianta ina dhiaidh sin.

Tá eolas ag seandálaithe ar charbaid agus ar úmacha na gCeilteach ó bhoinn airgid mar an ceann thuas.

GAISCE

Bhíodh na Ceiltigh an-mhórálach as a
gcuid capall díreach mar is mór ag cuid de
lucht an lae inniu a gcuid carranna.
Léirítear capaill ar bhoinn óir is trilseáin
ina moing agus tá fianaise ann go mbíodh
ceannbheart nó caipín ar chuid acu leis an
gcloigeann a chosaint nó mar mhaisiú mar
go bhfuil go leor de na ceannbhearta
ealaíonta go maith. Fuarthas caipín cré-
umha capaill in Albain a raibh gréas
ardaithe guairneán agus ciorcal air. Bhí
poll ar an dá thaobh le haghaidh chluasa
an chapaill agus poll eile ina lár ina
bhféadfaí, b'fhéidir, cleití a chur.
Thángthas ar chaipín eile a raibh giotaí
miotail ar sileadh leis. Bheidís sin ag
gliogarnach agus an capall ag gluaiseacht.

RÁSAÍOCHT

Bhí na Ceiltigh thar barr mar mharcaigh
agus mar charbadóirí agus ba bhreá leo a
gcumas a léiriú. Bhíodh deis acu é sin a
dhéanamh ag na rásaí ar chuid de na féilte
móra iad go minic. Ar ndóigh thugadh na
rásaí céanna deis do na laochra óga
scileanna a mbeadh géarghá leo in am
cogaidh a chleachtadh. Is dócha go
dtapaíodh lucht cearrbhachais an deis
freisin.

Nuair a théadh na Ceiltigh ar
tháin bó ghoididís eallach agus
rudaí luachmhara eile óna
naimhde agus fiú óna
gcomharsana. Ba chleachtadh
ar a scileanna marcaíochta
agus cogaidh iad na táinte bó
freisin.

CARBAID

Ba é an carbad an gléas iompair ba rogha
leis na Ceiltigh. Bhí sé ní b'éadroime agus
ní ba shoghluaiste ná cairt. D'fhéadfaí é a
úsáid i gcúrsaí fiaigh, go fiú, nuair nach
mbeadh an fhoraois tiubh. Ba le haghaidh
cogaíocht ba mhó a d'úsáidtí é, áfach. Beirt
fhear a bhíodh in airde ann – an tiománaí a
stiúradh an carbad, agus an laoch a
throideadh agus é istigh sa charbad nó ina
sheasamh ar an seafta. Go hiondúil théadh
na laochra isteach sa chath sna carbaid
agus ansin ritheadh na laochra síos feadh
an tseafta le troid ar a gcosa. Dá gcuirfí an
cath orthu thagadh na tiománaithe faoina
ndéin sna carbaid lena dtabhairt slán.

CARBAD Á DHÉANAMH

De bhrí go lobhann adhmad sa talamh ní
bhfuarthas oiread is carbad amháin slán.
Tá a fhios againn gur adhmad a bhíodh
iontu agus go mbíodh fonsa iarainn ar na
rothaí adhmaid. Chuirtí an fonsa ar an roth
agus é fós te. Chrapadh an fonsa iarainn de
réir mar d'fhuaraíodh sé agus choinníodh
sé an roth ina chéile. Tar éis na rothaí a
chur ar an acastóir dhéantaí urlár an
charbaid agus cheanglaítí den seafta é.
Chuirtí caolach ar an dá thaobh ansin mar
chosaint. Is cosúil nach mbíodh aon rud
chun tosaigh chun go mbeadh an laoch in
ann léim amach ar an seafta agus troid a
dhéanamh.

Bhíodh béalbhacha capall na
gCeilteach an-chosúil le béal-
bhacha an lae inniu. Léirítear
an múnla chun an bhéalbhach
a dhéanamh agus fáinne cinn-
ireachta (treorach) os a chionn.

NA LAOCHRA AGUS AN CHOGAÍOCHT

Thriaileadh na Ceiltigh an teitheadh a chur ar an namhaid ar dtús seachas troid. Sa radharc seo tá Gallach mór le rá ag iarraidh imeagla a chur ar cheannaire as arm na Róimhe trína dhúshlán a thabhairt comhrac aonair a chur air. Sheasadh saighdiúirí na Róimhe an fód go hiondúil, áfach, agus bhídís in ann na Ceiltigh neamheagraithe a chloí.

Bhí meas mór ar na laochra i measc na gCeilteach. Bhíodh meas ar a misneach agus ar a gcrógacht. Throideadh na laochra in airm eile chomh maith le harm a bpobail féin. Ní bhíodh faitíos ar bith orthu roimh an mbás. Chuireadh go leor acu lámh ina mbás féin de rogha ar bheith ina bpríosúnaigh ag an namhaid.

AIRM NA LAOCHRA

Bhíodh airm éigin ag gach laoch, fiú na laochra ba bhoichte. Arm coitianta ba ea an tsleá nó an ga a bhíodh tuairim is 2,5 méadar ar fad. Bior iarainn ar chos adhmaid ba ea an ga agus is cosúil go gcaití leis an namhaid é i dtús catha seachas é a shá leis. De réir Iúil Caesar bhíodh boghanna agus saigheada ag na Ceiltigh sa Ghaill. Thángthas ar charnáin phúiríní cloiche i láithreáin seandálaíochta sa Bhreatain, rud a thabharfadh le tuiscint go mbíodh crainn tabhaill acu.

Bhíodh claimhte freisin ag laochra saibhre. Go luath i gcaitheamh na Ré Ceiltí lann ghairid a bhíodh ar an gclaíomh Ceilteach agus ba gheall le miodóg é. Ní bheadh aon mhaith i gclaíomh mar sin ach amháin i dtroid bonn le bonn. Ón 3ú haois R. Ch. i leith, áfach, bhíothas in ann claimhte níos faide a dhéanamh. Dá thoradh sin bhíodh ar chumas na laochra troid ar muin capaill agus tabhairt faoin namhaid lena gclaimhte.

COSAINT

Bhíodh sciath ag go leor laochra Ceilteacha chun iad féin a chosaint i gcath. Píosa cothrom adhmaid a bhíodh ann agus é clúdaithe le leathar chun é a chosaint ar bhuillí móra. Ubhchruthach a bhíodh sí, nó dronuilleogach agus an bun agus an barr maol uirthi, agus í tuairim is 1.4 méadar ar airde. D'iarann a bhíodh an cabhradh déanta agus d'fhéadfaí é a úsáid i gcomhrac dá scriostaí an sciath féin. Bhíodh cosaint ó chlogad leathair, cré-umha nó iarainn ag an laoch agus ón 3ú haois R.Ch. chaitheadh corrlaoch cathéide mháilleach lena cholainn a chosaint. Is dócha gurbh iad na Ceiltigh a rinne cathéide mháilleach den chéad uair riamh ach ó tharla go raibh sí costasach agus go dtógadh sé tamall fada í a dhéanamh ní bhíodh sí ach ag na laochra ba mhó le rá. Ar an taobh eile den scéal féach go dtéadh cuid de laochra na gCeilteach chun troda agus iad lomnocht ach amháin go mbíodh torc thart ar an muineál acu.

CARBAID CHOGAIDH

Níor úsáid Ceiltigh na Mór-Roinne carbaid ach go dtí an 2ú haois R.Ch. Baineadh úsáid astu den uair dheiridh i gCath Telamon sa bhliain 225 R.Ch. Fiú amháin an uair sin b'fhéidir nach raibh iontu ach áis leis na laochra a thabhairt isteach sa chath agus amach arís agus gurbh ar an talamh a rinneadh an troid. Sa Bhreatain, áfach, théadh na Ceiltigh chun catha i gcarbaid go dtí an 1ú aois R.Ch. Chaithidís gathanna lena naimhde agus iad féin faoi ardluas ina gcarbaid (féach lch 35).

AN MARCSHLUA CEILTEACH

Cheaptaí tráth nach mbíodh laochra na gCeilteach in ann aon troid le dealramh a dhéanamh agus iad ar muin capaill mar nach mbíodh stíoróipí ar bith acu. Tá fianaise ann anois go mbíodh diallaití agus ceithre chorr orthu acu faoin 3ú nó an 2ú haois R.Ch. Choinnídís sin an marcach socair sa diallait agus d'fhanfadh sé mar sin le cabhair a dhá shliasaid. Dá réir sin bhíodh a lámha gan bac orthu agus bhíodh sé in ann an capall a cheansú, a chuid arm a ionramháil agus gan mórán baoil ann go dtitfeadh sé.

TÚS CATHA

Is cosúil nach mbíodh plean ná eagar ar chathanna na gCeilteach. Bhíodh airm mhóra i gceist go minic ach ní bhíodh smacht ná eagar ceart orthu. Is é an chéad rud a dhéanaidís ná iarracht a dhéanamh ar a naimhde a scanrú le gleo, le glór na stoc, le gártha fíochmhara catha agus le maslaí. Mura n-éiríodh leis an gcleas sin thugaidís ruathar millteanach faoin namhaid le sleánna agus le claimhte. Is cosúil freisin dá seasfadh an namhaid an fód go dtroidfeadh laochra na gCeilteach go bás seachas géilleadh.

Is cosúil gur ar mhaithe le haird daoine a tharraingt air féin ar shearmanais seachas le haghaidh troda a chaitheadh laoch saibhir de chuid na gCeilteach clogad mar sin thuas nó a bhíodh sciath mar sin thuas aige.

Dar leis na Ceiltigh ba é an cloigeann an chuid ba thábhachtaí de cholainn an duine. Bhainidís an cloigeann dá naimhde agus choinnídís iad mar chuimhneacháin. Sa radharc seo tá laoch ag taispeáint cloiginn dá chomhghuaillithe in arm Hannibal.

37

CONCAS NA RÓMHÁNACH

Cloigeann Vercingetorix, taoiseach de chuid na Gaille, atá léirithe ar an mbonn óir seo ón 1ú haois R.Ch. Tar éis dó géilleadh d'Iúil Caesar in Alesia sa bhliain 52 R.Ch. tugadh chun na Róimhe ina phríosúnach é. Sa bhliain 46 R.Ch. chuir Iúil Caesar ar taispeáint ar shráideanna na cathrach é sular cuireadh chun báis é.

Ní dhearna na Rómhánaigh dearmad riamh ar Chath Allia agus ar scrios na Róimhe (féach lch 7). Bhí sé d'aidhm acu riamh ina dhiaidh sin na Ceiltigh a bhascadh agus iad a dhíbirt as a gcuid tailte.

NA CEILTIGH Á mBASCADH
Ní hamháin gur chloígh arm dea-eagraithe na Rómhánach na Ceiltigh i gCath Telamon sa bhliain 225 R.Ch. ach chuir siad deireadh go deo le réim agus le cumhacht na gCeilteach san Iodáil. Maraíodh 40,000 laoch de chuid na gCeilteach agus rinneadh príosúnaigh de 10,000 eile. Ach bhí toradh eile fós ar an scéal. Thuig na Rómhánaigh as sin amach go mbeadh ar a gcumas tailte na gCeilteach a chur lena n-impireacht féin.

Léiríonn an mapa seo cuid de bhuanna agus de choncais na Rómhánach i dtailte na gCeilteach chomh maith le cathanna eile inar throid na Ceiltigh. Dhíothaigh na Rómhánaigh roinnt treibheanna ach ghlac treibheanna eile le nósanna na Róimhe agus throideadh a gcuid laochra mar shaighdiúirí in arm na Róimhe.

HANNIBAL
Níorbh iad na Ceiltigh amháin a bhí i mbaol. Thuig Cartagaigh na hAfraice Thuaidh go raibh na Rómhánaigh ag éirí róláidir agus sa bhliain 218 R.Ch. rinne siad comhcheangal le treibheanna áirithe de chuid na gCeilteach chun an Róimh a ionsaí. Ghluais arm mór (mar aon le 50 eilifint) faoi cheannas Hannibal, ceannaire de chuid na gCartagach, tríd an Spáinn, tríd an nGaill agus thar na hAlpa. Chloígh siad arm na Róimhe ag an Ticinus agus i gcathanna eile ach níor éirigh leo an Róimh a ghabháil. Faoin mbliain 202 R.Ch. bhí na Cartagaigh cloíte ag na Rómhánaigh agus cuid mhaith den Mheánmhuir faoi smacht na Róimhe.

CONCAS AR AN nGAILL
Tar éis dóibh na Cartagaigh a chloí dhírigh na Rómhánaigh ar thailte na gCeilteach san Eoraip. Chuir na Ceiltigh ina n-aghaidh go misniúil ach bhí smacht agus eagar níos fearr ar arm na Róimhe. Faoin mbliain 60 R.Ch. bhí an Spáinn agus tuaisceart na hIodáile faoi smacht na Rómhánach. Cuireadh Iúil Caesar i gceannas ar an dá chúige i dtuaisceart na hIodáile –*Gallia Cisalpina* agus *Gallia Transalpina*. Bhí seisean uaillmhianach agus theastaigh uaidh gradam agus saibhreas a bheith aige. Thuig sé dá bhféadfadh sé an Ghaill a thabhairt faoi smacht na Róimhe go n-éireodh leis a chuspóirí a bhaint amach.

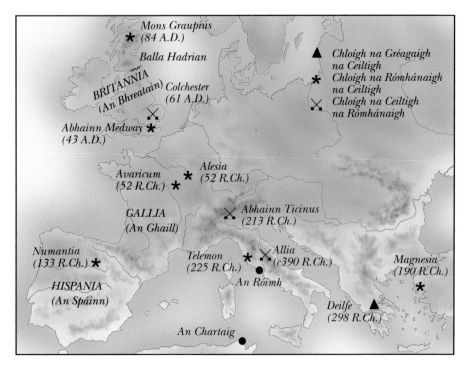

AN BUA AG CAESAR

Rinne cuid de threibheanna na Gaille comhcheangal le Caesar a thúisce is a chuaigh sé isteach sa Ghaill. Caitheadh go gránna leis na treibheanna a chuir ina aghaidh – ba bheag nár maraíodh na Nervii go léir agus díothaíodh na hEburoni.

Sa bhliain 52 R.Ch. rinne Ceiltigh na Gaille faoi cheannas Vercingetorix iarracht na Rómhánaigh a dhíbirt. Ceannaire cliste misniúil ba ea é ach sáinníodh é faoi dheireadh in *oppidum* Alesia, ar bharr cnoic. Chuir Caesar an áit faoi léigear. Cé gur tháinig arm 250,000 i gcabhair ar Vercingetorix b'éigean dó géilleadh. B'in é an uair dheireanach ar sheas Ceiltigh na Gaille an fód. As sin amach bhí an Ghaill ina cuid d'Impireacht na Róimhe.

AN BHREATAIN

Rinne na Rómhánaigh faoi cheannas Iúil Caesar roinnt iarrachtaí an Bhreatain a chur faoina smacht ach níor éirigh leo go dtí an bhliain 43 R.Ch. nuair a bhí Claudius ina impire. Throid cuid de Cheiltigh na Breataine in aghaidh na Rómhánach ach rinne cuid eile comhcheangal leo, rud a tharraing easaontas idir na treibheanna díreach mar a tharla sa Ghaill. Níor éirigh leis na Rómhánaigh Albain, ná an Bhreatain Bheag mar atá inniu, a chur faoina smacht. Mar sin sa bhliain 120 A.D. thóg an tImpire Hadrian balla teorann lastuaidh. Balla Hadrian a thugtar air agus tá sé ag freagairt don teorainn idir Sasana agus Albain go dtí an lá inniu.

I gCath Telamon sáinníodh 70,000 Ceilteach idir dhá arm de chuid na Róimhe. B'fhearr an t-eagar a bhí ar na Rómhánaigh, b'fhearr na hairm a bhí acu, agus rinne siad sléacht ar na Ceiltigh.

Fíor de thaoiseach Ceilteach é an dealbh mharmair seo as an Róimh. Tá sé tar éis a bhean a mharú agus tá sé ar tí é féin a mharú de rogha ar go ngabhfaí é agus go ndéanfaí daor de.

TEACHT NA CRÍOSTAÍOCHTA

Tá cuid de mhainistir Ghaelach léirithe sa radharc trédhearcach thíos. Ar dtús dhéantaí na foirgnimh as adhmaid agus as caolach agus dóib. Faoin 10ú haois ba as clocha a bhíodh na príomhfhoirgnimh – an eaglais, an proinnteach agus an cloigtheach – tógtha. Dá ndéanadh na Lochlannaigh ruathar faoin mainistir théadh na manaigh ar a gcoimeád sa chloigtheach.

D'iompaigh na Ceiltigh ar an gCríostaíocht i gcaitheamh Ré na Rómhánach. Chuir roinnt bheag Ceilteach eolas ar an gcreideamh nua trí chúrsaí trádála le pobail na Meánmhara. Lig na Rómhánaigh do na Ceiltigh a gcuid déithe féin a adhradh ach i dtosach rinne siad a ndícheall an Chríostaíocht a chur faoi chois. Dar leo, bhainfeadh sí dá n-údarás féin. Rinneadh géarleanúint ar na Críostaithe agus b'éigean dóibh a gcreideamh a chleachtadh faoi rún.

ATHRÚ MÓR

Ainneoin sin tháinig méadú ar líon na gCríostaithe go háirithe i measc na mbocht. Ansin sa bhliain 312 A.D. d'iompaigh an tImpire Constaintín ina Chríostaí tar éis dó bua mór a bhaint amach i gcath agus d'fhógair sé gurbh í an Chríostaíocht creideamh oifigiúil Impireacht na Róimhe. Tar éis do threibheanna Gearmánacha smacht na Róimhe ar iarthar na hEorpa a scaoileadh chuir Eaglais na Róimhe misinéirí chucu chun a gcuid taoiseach a iompú chun na Críostaíochta.

SA BHREATAIN

Sa bhliain 410 A.D. d'fhág léigiúin na Róimhe an Bhreatain chun codanna eile den Impireacht a chosaint. Tháinig Anglaigh agus Sacsanaigh i dtír ar chóstaí an deiscirt agus an oirthir ar thóir tailte nua. Thug na hionróirí seo a gcreideamh féin leo. In iarthar na tíre amháin, áit a raibh na Ceiltigh, a bhí an Chríostaíocht fágtha.

NAOMH PÁDRAIG

Ba é Naomh Pádraig an Críostaí Ceilteach ba mhó le rá. Rugadh in iarthar na Breataine é i gceantar cois farraige tuairim na bliana 385 A.D. agus ba shagart Críostaí é a sheanathair. Ní raibh sé ach 16 bliana d'aois nuair a ghabh foghlaithe mara é agus tugadh go hÉirinn é. Ach d'éalaigh sé chun na Fraince tar éis roinnt blianta agus rinneadh sagart Críostaí de. Tuairim na bliana 432 A.D. chuaigh sé ar ais go hÉirinn agus é anois ina easpag. Cuireadh ina aghaidh ar dtús agus é ag craobhscaoileadh an chreidimh ach ar deireadh d'éirigh leis na Gaeil a iompú chun na Críostaíochta. Thóg roinnt dá lucht leanúna mainistreacha.

1 **Eaglais chloiche**
2 **Altóir**
3 **Túr faire adhmaid**
4 **Cloigtheach a tógadh níos déanaí**
5 **Proinnteach na manach**
6 **Uaimh thalún le rudaí a stóráil**
7 **Bracanna le trilseáin luachra a choinneáil**
8 **Scoil na manach**
9 **Teach an Aba**
10 **Cillín manaigh**
11 **Teach an gheata**

OBAIR NA MANACH

Thugtaí an Eaglais Chríostaí Cheilteach ar an gCríostaíocht sa Bhreatain agus in Éirinn. Faoin 5ú haois bhí na Críostaithe Ceilteacha tar éis mainistreacha a bhunú in Éirinn, sa Bhreatain Bheag, i gCorn na Breataine agus sa Bhriotáin.

Níor theastaigh ó na manaigh aon bhaint a bheith acu leis an bpolaitíocht ná le nithe saolta. Chaithidís a gcuid ama ag guí agus ag déanamh staidéir ar an mBíobla. Chabhraídís leis na heasláin agus leis na bochtáin freisin. An fheirmeoireacht a choinníodh greim ina mbéal. D'fhágadh cuid de na manaigh na mainistreacha, go háirithe na manaigh Éireannacha, chun an creideamh a chraobhscaoileadh thar lear. D'fhanadh tuilleadh acu sa bhaile ag déanamh cóipeanna maisithe de leabhair chráifeacha atá againn fós, e.g. Leabhar Cheanannais agus Soiscéil Lindisfarne.

Saol simplí a chaitheadh na manaigh Cheilteacha agus ba bheag giuirléidí pearsanta a bhíodh acu. Dhéanaidís rudaí áille, cailísí, leabhair agus a leithéidí agus dhéanaidís cúram díobh. Agus iad ag cóipeáil na lámhscríbhinní mhaisídís iad le gréasa agus le patrúin mar a bhíodh ar sheodra na sean-Cheilteach. Chomh maith le himill na leathanach a mhaisiú dhéanaidís saothar ealaíne ar leith den chéad litir ar leathanach.

SEANCHAS NA gCEILTEACH

Faoin 12ú haois bhí na seanscéalta i dtaobh Rí Artúr tar éis an Iodáil a shroicheadh ach bhain rian de na seanmhóitífeanna Ceilteacha leo fós. Mar shampla, nuair a goineadh Artúr go dona i gcath d'iarr sé ar dhuine dá ridirí a chlaíomh, Excalibur, a thabhairt ar ais do Bhantiarna an Locha díreach mar a d'ofráladh na sean-Cheiltigh a gcuid claimhte fadó riamh do bhandia an uisce.

Chomh maith le gaisce a dhéanamh as a gcuid éachtaí ba bhreá leis na Ceiltigh scéalta agus seanchas a aithris faoina gcine, faoi na taoisigh agus faoina gcuid déithe. Chumaidís scéalta as a samhlaíocht féin faoi laochra agus banlaochra. Chuirtí an seanchas sin ó ghlúin go glúin sa bhéaloideas agus caithfidh sé gur dearmadadh cuid mhaith de. In Éirinn agus sa Bhreatain, áfach, scríobhadh síos cuid de na seanscéalta sin tar éis gur tháinig deireadh leis na draoithe agus tá siad againn fós.

RÍ ARTÚR

Sa 6ú haois A.D. a insíodh na scéalta i dtaobh Rí Artúr ar dtús. Is cosúil go raibh siad bunaithe ar shaol taoisigh Cheiltigh as an mBreatain Bheag.

Bhíodh an-tóir ar na scéalta Artúraíocha tar éis Choncas na Normannach ar an mBreatain in 1066 A.D. Léiríodh Artúr as sin amach mar ridire de chuid na Meánaoise agus cuireadh cruth úr ar na seanscéalta. Bhain an niachas, nósanna na cúirte agus an rómánsaíocht leis na scéalta nua. D'insíodh na hoirfidigh fáin na scéalta seo ar an Mór-Roinn. Faoi mbliain 1165 A.D. bhí Artúr léirithe ar mhósáic in Otranto na hIodáile. Tuairim an ama chéanna scríobh an file mór Francach, Chrétien de Troyes, roinnt scéalta rómánsaíochta i dtaobh chúirt Artúir. Níor mhar a chéile chor ar bith na scéalta sin agus na bunscéalta Ceilteacha ach is iad atá le fáil i lámhscríbhinní na Meánaoise.

AN *MABINOGION*

San 11ú haois a scríobhadh síos na seanscéalta is mó de chuid na Breataine Bige ach is sine ná sin iad. Aon scéal déag atá ann agus baineann ceithre cinn acu le Pryderi a bhí ina phrionsa in Dyfed na Breataine Bige. Tá Artúr luaite sna scéalta seo freisin. An *Mabinogion* a tugadh ar an tsraith scéalta seo sa 19ú haois.

SEANSCÉALTA NA hÉIREANN

Is as Éirinn an chuid is mó de na
seanscéalta Ceilteacha. Cé gur mhanaigh
Chríostaí a scríobh iad tá cur síos iontu ar
dhéithe agus ar bhandéithe chomh maith
le laochra agus banlaochra an tsaoil seo. Tá
siad ar cheann de na foinsí is fearr atá
againn ar mheon na gCeilteach ach ní gá
gur cuntas stairiúil ar fad iad.

Tá a lán de sheanscéalta na hÉireann ina
dtrí shraith. Sa chéad sraith tá cur síos ar
na ciníocha a rinne ionradh ar Éirinn, e.g.
Clanna Mílidh, Tuatha Dé Danann, na
Fomhóraigh, etc. Cuireann an dara sraith,
an Rúraíocht, síos ar Chú Chulainn agus ar
laochra Uladh. Cuireann an tríú sraith, an
Fhiannaíocht, síos ar na Fianna agus a
gcuid laochra, e.g. Fionn mac Cumhaill
agus a mhac Oisín, Goll mac Morna, etc.

SCRÍBHNEOIREACHT

Scríobhadh na seanscéalta síos de réir
aibítre a bhí bunaithe ar aibítir na Laidine.
Ach roimhe sin arís scríobhtaí rudaí ar
ghalláin chloiche agus ba línte díreacha a
bhí san aibítir sin agus í bunaithe ar na
haibítrí a bhí ag ciníocha a mbíodh
teagmháil ag na Ceiltigh leo ar Mhór-Roinn
na hEorpa. Bhíodh a gcuid aibítrí féin ag
Ceiltigh na Breataine. 30 litir a bhí in
aibítir amháin de chuid na Breataine Bige.
25 litir a bhí san ogham a d'úsáidtí in
Éirinn agus in iarthar na Breataine.

*Tarraingíodh an pictiúr seo den
laoch Gaelach, Oisín, sa 19ú
haois. Faoin am sin is beag
baint a bhí idir na scéalta
bunaidh agus na scéalta nua a
bhain leis. Feictear anseo é agus
é ag fáiltiú roimh anam
Napoléon Bonaparte chun na
bhFlaitheas!*

*Ogham atá ar an ngallán ar clé
ach thíos tá roinnt de litreacha
na haibítre a bhíodh in úsáid
ag na Ceiltigh i dtuaisceart na
hIodáile.*

MAIREANN NA CEILTIGH

Tar éis gur cloíodh iad ghlac cuid mhaith de na Ceiltigh le nósanna na Rómhánach. Cuireadh na draoithe faoi chois agus tugadh ar dhaoine creideamh na Rómhánach agus an Chríostaíocht a chleachtadh. Tugadh cead d'uaisle na gCeilteach a bheith ina saoránaigh de chuid na Róimhe agus ina n-oifigigh san arm. Rinneadh seanadóirí de chuid acu. Chuir go leor Rómhánach fúthu in Hispania (sa Spáinn) agus in Gallia (an Fhrainc) agus ba ghairid go raibh siad sin ar na cúigí ba shaibhre san Impireacht.

RÓMHÁNÚ

Ar Mhór-Roinn na hEorpa cuireadh cultúr na Rómhánach in áit chultúr na gCeilteach. Sna tailte sin a bhí gar don Róimh tháinig deireadh ar fad le cultúr na gCeilteach. I gceantair áirithe, áfach, áit ar chuir na Ceiltigh ina n-aghaidh bhí drogall ar na Rómhánaigh mórán cumhachta a thabhairt do na Ceiltigh áitiúla. Sna ceantair sin choinnigh na Ceiltigh a lán dá sean-nósanna féin agus chuaigh an saol ar aghaidh gan mórán athruithe.

CEILTIGH NA nOILEÁN

Cé gur ghlac formhór na gCeilteach sa Bhreatain le nósanna na Rómhánach chuir treibheanna áirithe ina n-aghaidh go mór. Mhair cultúr na gCeilteach go láidir in Albain, áit nár éirigh leo a chur faoina smacht agus i gCorn na Breataine agus sa Bhreatain Bheag, áiteanna nach raibh mórán tionchair ag na Rómhánaigh orthu. Ar ndóigh, níor shroich na Rómhánaigh Éire riamh agus mhair an cultúr Ceilteach go láidir anseo.

Sa bhliain 60 A.D. d'éirigh na mílte Ceilteach amach agus Boadicea na nIceni mar cheannaire orthu in aghaidh smacht na Róimhe sa Bhreatain. D'ionsaigh siad agus loisc siad bailte nua na Rómhánach, Colchester, Londain agus St. Albans agus mharaigh siad tuairim is 70,000 Rómhánach agus a lucht tacaíochta sular cloíodh iad féin. Sheas na Rómhánaigh (thíos) an fód ag Teampall Apolló in Colchester ach buadh orthu. Ba é Teampall Apolló comhartha údaráis na Róimhe.

In Éirinn san 8ú haois A.D. a rinneadh Dealg na Teamhrach. Tá an gréas céanna in úsáid inniu, go fiú.

IMEACHT NA RÓMHÁNACH

Tar éis do na Rómhánaigh imeacht as an mBreatain bhí an áit trína chéile. Ghabh na hAnglaigh agus na Sacsanaigh deisceart agus oirthear na tíre agus ghabh na Gaeil iarthar na Breataine. *Scotti* a thugtaí ar na Gaeil seo agus is ar a n-ainm atá ainm na hAlban i mBéarla bunaithe. Lonnaigh cuid eile díobh in Gwynedd agus in Dyfed (sa Bhreatain Bheag) agus as sin rinne siad ionradh ar Chorn na Breataine agus ar Devon. Chuaigh Ceiltigh as an gCorn agus as Devon go dtí an Ghaill agus lonnaigh siad i gceantar Armorica. Choinnigh siad a dteanga agus a gcuid nósanna féin agus ar deireadh cuireadh stát neamhspleách ar bun ann, i.e. an Bhriotáin.

NA TEANGACHA CEILTEACHA

Cé is moite den Bhriotáinis fuair teangacha Ceilteacha na Mór-Roinne bás. Ach maireann trí cinn eile go fóill. Tá an Ghaeilge againn in Éirinn, an Ghàidhlig in Albain agus an Bhreatnais sa Bhreatain Bheag. Fuair an Chornais bás cúpla céad bliain ó shin. D'éag an cainteoir dúchais deireanach Manainnise i 1974. Ar ndóigh tá daoine ag iarraidh an Chornais agus an Mhanainnis a athbheochan mar go dtuigeann siad tábhacht a n-oidhreachta.

Níor chuir na Rómhánaigh isteach ar na Gaeil ach sa 9ú haois thug na Lochlannaigh ruathair faoi Éirinn. Le himeacht aimsire lonnaigh siad ar an gcósta agus chuir siad ionaid trádála ar bun i mBaile Átha Cliath agus i gCorcaigh, etc. Dhéanaidís comhghuaillíocht go minic leis na Ríthe Gaelacha mar gur mhinic na ríthe céanna ag troid eatarthu féin.

NA LOG-AINMNEACHA

Go fiú in áiteanna nach bhfuil teanga ná cultúr na gCeilteach beo tá cuimhne orthu i logainmneacha. Tá Páras, mar shampla, ainmnithe as treibh na b*Parisii* agus an Bheilg as na *Belgae*. Tá ainmneacha Lyons na Fraince agus Londain Shasana bunaithe ar an ainm Lugh – dia na gréine ag na Ceiltigh. In iarthuaisceart Shasana tá an t-ainm Cumbria bunaithe ar an bhfocal Cymry, i.e. comhthíreach, an t-ainm a thugadh Ceiltigh na Breataine orthu féin.

In ainneoin gur chloígh na Rómhánaigh na Ceiltigh maireann a dtionchar fós ní hamháin i logainmneacha, agus san ealaín ach i sliocht na gCeilteach féin.

In Albain sa bhliain 1693 A.D. a rinneadh an adharc phúdair seo. Léiríonn na gréasa snoite agus iad fite ina chéile tionchar na gCeilteach.

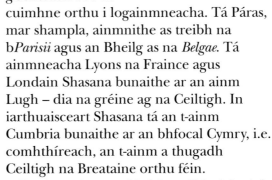

DÁTAÍ TÁBHACHTACHA AGUS GLUAIS

Mar gur scríobh na Gréagaigh agus na Rómhánaigh faoina n-eachtraí leis na Ceiltigh is féidir linn a bheith cinnte faoi na dátaí a ghabhann leo ó tuairim is 300 R.Ch. i leith. Roimh an am sin bítear ag brath ar fhianaise na seandálaíochta. Trí thástálacha eolaíochta a dhéanamh ar na déantáin a fuarthas, bíonn fianaise againn cathain a rinneadh na déantáin, agus dá réir sin cathain a bhí cónaí ar na láithreáin seandálaíochta.

Sheas na Gallaigh faoina dtaoiseach Vercingetorix an fód in aghaidh na Rómhánach den uair dheiridh in oppidum Alesia ar bharr cnoic. Tá cúl arm na gCeilteach faoi ionsaí sa radharc thíos agus iad ag déanamh tréaniarrachta briseadh amach trí oibreacha léigir Iúil Caesar.

R.Ch.

750	Faoin am sin bhí na Ceiltigh ina gcónaí in Hallstatt na hOstaire agus saibhreas déanta acu as salann a dhíol.
500	Tús le sibhialtacht La Tène.
c390	Chloígh na Ceiltigh arm na Róimhe agus chreach siad an Róimh.
279	D'ionsaigh na Ceiltigh Aitheascal Dheilfe ach chloígh na Gréagaigh iad.
278	Throid tuairim is 20,000 Ceilteach ar son Nicomedes na Bitíne in aghaidh na Siriach. Tugadh an Ghaláit (Galatia) ar an áit ar lonnaigh siad ann.
225	Chloígh na Rómhánaigh na Ceiltigh i gCath Telamon.
224	Rinne na Rómhánaigh ionradh ar *Gallia Cisalpina.*
218	Chuaigh arm na gCartagach faoi cheannas Hannibal anonn thar na hAlpa chun ionsaí a dhéanamh ar na Rómhánaigh, le cuidiú na gCeilteach. Chuir sé sin tús leis an Dara Cogadh Púnach.
202	Chloígh na Rómhánaigh na Cartagaigh faoi dheireadh i gcath Zama agus bhí deireadh leis an Dara Cogadh Púnach.
198	Rinne na Rómhánaigh ionradh ar an nGaill.
197	Chuir na Rómhánaigh an Spáinn faoi smacht.
190	Chuaigh na Galataigh i gcomhghuaillíocht leis na Gréagaigh agus chloígh siad na Rómhánaigh i gcath Magnesia. Tamall ina dhiaidh sin chuaigh siad i gcomhghuaillíocht leis na Rómhánaigh.
121	Ghabh na Rómhánaigh *Gallia Transalpina.*
60	Chloígh na Dáiciaigh *Boii* na Boihéime.
58	D'fhág na *Helvetii* talamh a sinsear agus thug siad aghaidh ar an nGaill. Thug sin leithscéal d'Iúil Caesar an t-arm aige féin a chur go dtí an Ghaill.
55	Faoin mbliain sin bhí an chuid ba mhó den Ghaill faoi smacht na Róimhe. Chuir Iúil Caesar arm chun na Breataine ach níor éirigh leis an iarracht.
52	Cloíodh Ceiltigh na Gaille i gCath Alesia. Ghéill Vercingetorix agus baineadh an cloigeann de sa bhliain 46 R.Ch.

A.D.

43	Tús le Concas na Rómhánach ar an mBreatain.
61	D'éirigh Boadicea agus na hIceni amach in aghaidh na Rómhánach.
74	An Ghaláit (*Galatia*) ina cuid de chúige Cappadocia na Rómhánach.
122	Tógadh Balla Hadrian, teorainn thiarthuaidh Impireacht na Róimhe.
312	D'fhógair Constaintín, Impire na Róimhe, gurbh í an Chríostaíocht creideamh oifigiúil na hImpireachta as sin amach.
410	D'imigh na léigiúin dheiridh as an mBreatain leis an Róimh a chosaint.
450	Faoin dáta sin, bhí Ceiltigh as an mBreatain tar éis lonnú sa Bhriotáin.
c793	Chuir na Lochlannaigh tús lena ruathair ar Éirinn agus ar an mBreatain.
1014	Chloígh Brian Ború na Lochlannaigh agus a gcomhghuaillithe i gCath Chluain Tarbh.

SLEACHTA

Scríobh an Rómhánach Ammianus Marcellinus i dtaobh na gCeilteach sa 4ú haois A.D., tráth a raibh formhór thailte na gCeilteach faoi smacht na Róimhe. Ba thíreolaí Gréagach é Strabo (69 R.Ch. – 21 A.D.), a raibh cónaí air sa Róimh agus in Alexandria. Rinne sé cuid mhaith taistil agus scríobh sé 17 leabhar ar an tíreolaíocht. Ba ó Posidonius a chuaigh roimhe a fuair sé an chuid ba mhó dá chuid eolais ar na Ceiltigh. Is i nGréigis a scríobh Diodorus Siculus freisin i dtaobh stair an domhain go dtí deireadh chogaí na Gaille. Scríobh sé 40 imleabhar ar a dtugtar *Leabharlann na Staire*. Fuair sé bás sa bhliain 20 R.Ch. Ba fhile Rómhánach é Marcus Annaeus Lucanus a rugadh sa Spáinn sa bhliain 39 A.D. agus a fuair bás in 65 A.D. Ba scoláire agus ba shaighdiúir Rómhánach é Pliny a cailleadh sa bhliain 79 A.D. Thug sé tuairisc ar na draoithe agus ar chóras leighis na gCeilteach sna 37 imleabhar faoin *Dúlra*. Scríobh Iúil Caesar i dtaobh na gCeilteach ina leabhar *De Bello Gallico*. Maraíodh é sa bhliain 44 R.Ch.

INNÉACS

FOCLÓIRÍN

**Tagraíonn an cló iodálach
do cheannscríbhinní**

Alesia, Cath 38, 39, 46, *46*
Allia, Cath 7, 38
Anglaigh 40, 45
aibítir 43, *43*
arán 15, *15*, 19
Artúr, rí 42, *42*, 43
babhtáil, 28, 47
báid *30*, 31, *31*
bard 11, 20, *20*, 21
barra *6*, 18-19, 21

Belgae, 45
beoir, 19, 20
bia 12, 18-19
Boadicea, Banríon, 10, *11*, *44*, 47
boinn (airgid) 28, 34, *34*, *38*
Brigante 10
bró 15, *15*
brugh 32-33, *32-33*
bruithniú 12, 13

Caesar, Iúil 36, 38-39, *38*, 46, *46*, 47
capaill *19*, 25, 30, 34-35, 35
carbaid 17, 25, 30, *34*, 35, 37
Cartagaigh 28, *37*, 38, 46
Cartimandua, Banríon 10
céachta 17, 18, *18*
Chríostaíocht, an 40-41, 44, 47
Claudius, an tImpire 39
cogaíocht 35, 36-37, *36*
coire 12, 21, 24, 25
Constaintín, an tImpire 40, 47
crann tabhaill 19, 36, 47
cré-umha *5*, 8, 9, 12-13, *19*, *21*, 24, 25, *27*, 28, croiméal 9, *9*
cruan *26*, 27
curach *30*, 31

Dealg 8, *8*, 9, *9*, 45
déithe & bandéithe 22-23, *23*, *31*, 34, *34*, 43
draoithe 11, *21*, 22, 23, *23*, 42, 44, 47
drualus 23, *23*

Éadach 9, *9*, 29, *29*
Eburoni 39

Farae 12, 47
Féinícigh 28
fiach 19, *19*
fíon 20, *20*, 21, 24, 28, 29

Gallaigh 4, *7*
Galataigh 7, *7*, 46, 47
Gréagaigh 4, 7, 28, 46

Féastaí 20-21, *20*
feirmeoirí 5, 6, 10, 11, 12, 18-19

Hadrian, Balla 39, 47
Hallstatt *4*, 5, *5*, *7*, 12, 28, 46
Hannibal *37*, 38, 46
Horchdorf 24-25

Iarann 6, 12-13, *28*, 36, 37
Iarnaois 5
imirce 6, *6*, 7
íobairtí 11, 22, *22*

Keltoi 4

Leigheas 11, *11*
La Tène 5, *7*, 46
Lochlannaigh, na *40*, 45, 47

Mabinogion 42
mainistreacha *40-41*, 41
mianadóireacht 5, 12-13
miotalóireacht 5, 12-13

Nervii 39
Normannaigh 42

Oppida 14-15, 39, *46*

Pádraig, Naomh 41
Parisii 45

Rómhánaigh 4, 7, *28*, 29, 38-39, 44, 46

Sacsanaigh 40, 45
salann 5, 12, *12*, 28, 46
Samhain 21
saoithe 10, *10*, 11
seandálaithe 5, *19*
saighead 19, 36
seodra 9, *9*, 12, 26-27, *27*
Siculus, Diodorus, 9, 21, 47
stán 12, 28

Teallach 15, 16, *17*, 32, *32*
Telamon, Cath 37, 38, *39*, 46
tithe *15*, 19, 16-17, *17*, 32
torc (muiníl) *9*, 10, *24*, 37
trádáil 4, *4*, 5, 12, 14, 28-29, *29*, *30*, 46
treibheanna 10, 14-15, 20-21, 22
tuamaí 24-25, *24-25*,

Uaigheanna 5, *5*, 24-25, *24*

Veneti 7, 31
Vercingetorix *38*, 39, 46, *46*

Acastóir *axle*
aicearra *short-cut*
aighneas *dispute*
aimhréidhe, bain as *untangle*
aimrid *barren*
ainneoin *despite*
áiritheoir *counter*
antaiseipteán *antiseptic*
amhais *mercenaries*
athbheochan *revive*

Babhtáil *swop*
béalbhach *(bridle) bit*
béaloideas *folklore*
beostoc *cattle*
breogán *crucible*
bró rothlach *rotary quern*
bruithniú *smelt*

Cabhlacha *trunks (trees)*
cabhradh *boss (shield)*
callánach *noisy*
caolach *wickerwork*
caomhnú *preserve, conserve*
Cartagaigh *Carthaginians*
ceannfhearann *headland*
ceansaigh *tame*
cearrbhachas *gambling*
céasla *paddle*
céimíocht *status*
cliabhrach *chest*
cnámharlach *skeleton*
cogaíocht *warfare*
cógais *drugs (medicine)*
coimeádán *container*
coire *cauldron*
coirníní *beads*
comhghuaillíocht *alliance*
comhghuaillithe *allies*
comhthionól *assembly*
comhthíreach *fellow countryman*
concas *conquest*
cosúlacht *appearance*
cothaigh *feed, nourish*
cráifeach *religious*
crann tabhaill *sling*
craobhscaoileadh *preach*
crap *contract*
creach *plunder*
créamadh *cremation*
crógacht *bravery*
cruan *enamel*
cuach *goblet*
cuingir *pair (yoked to plough)*
cuisneoir *fridge*

curadhmhír *champion's portion*
curadóireacht *tillage*

Déantán *artefact*
deimheas *shears*
díothaigh *wipe out*
díluchtaigh *unload*
dóib *plaster-clay*
drualus *mistletoe*
dualgas *duty*

Éacht *great deed*
earcaigh *recruit*
easlán *invalid, sick*

Fallaing *cloak, robes*
farasbarr *surplus*
feiceálach *conspicuous*
Féinícigh *Phoenicians*
feisteas *fittings*
fianaise *evidence*
fógairt *announce*
foghlaithe mara *pirates*
foirceann *end*

Gábha *danger, peril*
gabhálas *accessory*
gaibhniú *to forge metal*
gaireas *appliance, device*
gallán *standing stone*
gar *favour*
géarleanúint *persecution*
giuirléidí *personal belongings*
glédhathach *brightly-coloured*
gortghlanadh *weeding*
grianchloch *quartz*
gualach *charcoal*

Hiondúil, go *usually*

Imircigh *migrants*
inchinn *brain*
inmheánach *internal*
inneoin *anvil*
íobairt *sacrifice*
íobartach *sacrificial victim*
ionramháil *handle, manage*
leasachán *fertilizer*
leathán *sheet (of metal)*
léibheann *platform*
léigear *siege*
lóchán *chaff*
lonnaíocht *settlement*
luibheanna *herbs*

Macasamhail *model*
maisiúchán *decoration*
marcshlua *cavalry*

meath *decline, decay*
meil *grind*
miodóg *dagger*
modh maireachtála *way of life*

Neamhchoitianta *unusual*
niachas *chivalry*

Oidhreacht *heritage*
oirfidigh *minstrels*
osnádúrtha *supernatural*

Páircíneach *check (cloth)*
pianmhúchán *painkiller*
pórú *breeding*
proinnteach *refectory*
puiteach *mud*

Réamhstair *prehistory*
réiteach *preparation*
riar *serve, administer*
Rómhánú *Romanization*
ruaim *dye*

Saighead *arrow*
saoithe *learned men*
seithe *animal skin*
suaitheantas *badge*
saolta *wordly*
sconsa *fence*
seachtrach *external*
seandálaíocht *archaeology*
seandálaithe *archaeologists*
sliasaid *thigh*
sliocht *descendants*
sonnach *paling, stockade*
sotalach *arrogant*
stobhach *stew*
stoth *tuft*

Teach aíochta *guest-house*
teilgean *cast (metal)*
timpeallacht *surroundings*
tionchar *influence*
toibreacha *wells*
torc *(wild) boar, torque*
torthúlacht *fertility*
trastomhas *diameter*
trilseán *plait, tress*
triomach *drought*
tuargaint *hammering*
tulach *mound*

Uaillmhianach *ambitious*
uaimh *cave (ground)*
ubhchruthach *oval*
úim *harness*
ungthaí *ointments*

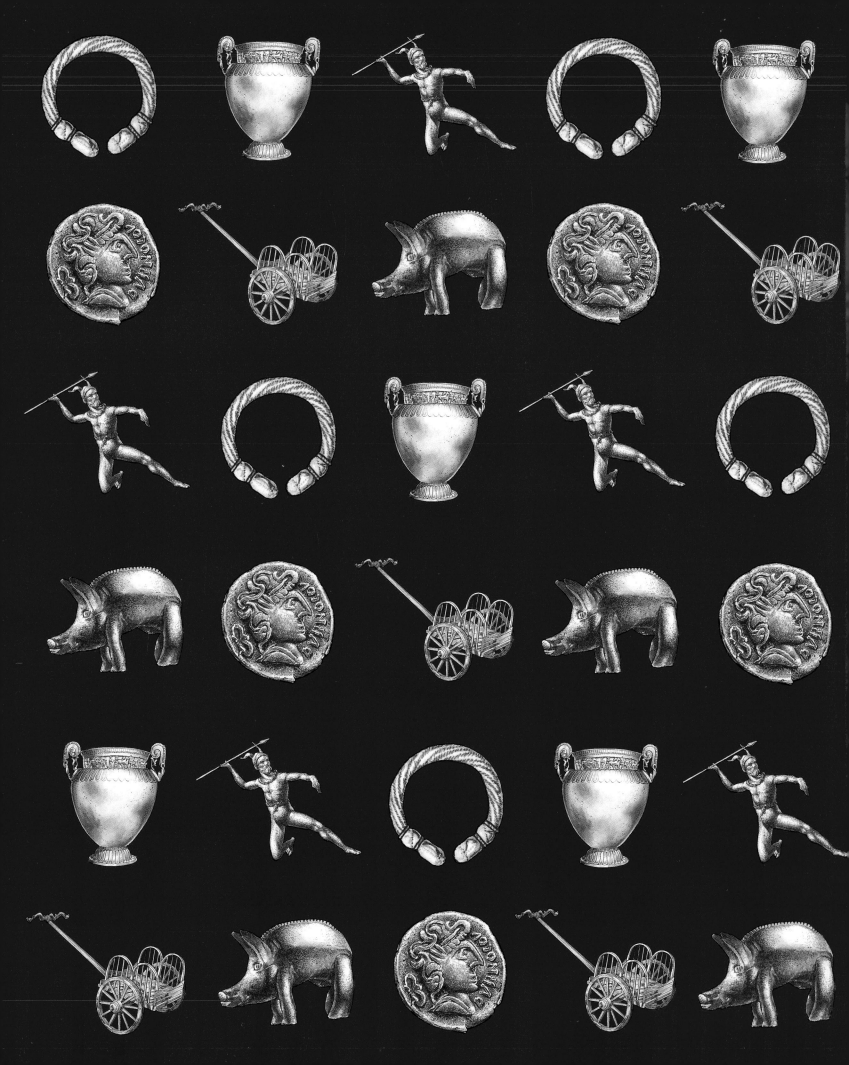